TURMA DA PÁGINA PIRATA EM:

A S.U.P.E.R. GINCANA

MARCELO AMARAL

VERMELHO MARINHO

Copyright © 2014 by Marcelo Amaral

Edição: Ana Cristina Rodrigues
Revisão: Tomaz Adour
Capa: Marcelo Amaral

A485m

Amaral, Marcelo, 1976-
  A S.U.P.E.R. Gincana / Marcelo Amaral. – Rio de Janeiro: Vermelho
Marinho, 2014
  226 p. ; il. – (Coleção Turma da Página Pirata, v. 2)

  ISBN: 978-85-8265-007-3
  Com ilustrações do autor

  1. Literatura infantil – Brasil. I. Título

CDD: 806.068

Editora Vermelho Marinho Usina de Letras LTDA
Rio de Janeiro - Departamento Editorial:
Rua Visconde de Silva, 60/102

www.vermelhomarinho.com.br

Para Alzira e Manuela.
Alegria de mãe.
Alegria de filha.

Conheça a TURMA DA

PÁGINA PIRATA

Antes de começarmos a nossa história, é importante responder a uma pergunta: O que é essa tal "Página Pirata"?

A Página Pirata é um jornalzinho impresso voltado para alunos e funcionários do Colégio São João, a escola de maior renome da cidade de Vale Prateado.

Não se trata de uma publicação oficial do colégio, mas de uma iniciativa totalmente independente nascida de um trabalho para a aula de Português e que, graças à dedicação de seus jovens idealizadores, acabou se tornando muito popular tanto dentro quanto fora da escola.

Todos os sete integrantes da equipe do jornal estudam juntos no quinto ano do ensino fundamental e assinam suas respectivas colunas com pseudônimos iniciados com a letra "P". Esses apelidos, dados por eles mesmos uns aos outros, acabaram "pegando" na escola. E como o próprio nome Página Pirata dá a entender, essa turma chegou para ousar, divertir e conquistar seus leitores.

SIGA NO TWITTER: @jupastilha

PASTILHA
JULIANA

IDADE: 10 ANOS
CARGO NA PÁGINA PIRATA:
EDITORA-CHEFE E REPÓRTER INVESTIGATIVA

JULIANA POSSUI INTELIGÊNCIA ACIMA DA MÉDIA, QUE SÓ NÃO É MAIOR QUE A ALERGIA QUE ELA TEM A QUASE TUDO.
POR VIVER SEMPRE DOENTE, SEUS AMIGOS A APELIDARAM DE PASTILHA.
SEU AR DE ETERNO CANSAÇO PODE ATÉ LEVANTAR DÚVIDAS QUANTO A SUA CAPACIDADE DE LIDERANÇA, MAS BASTA TROCAR DUAS OU TRÊS PALAVRAS COM ELA PARA NOTARMOS SUA PERSONALIDADE FORTE.

- **FORÇA** 1
- **INTELIGÊNCIA** 7
- **VELOCIDADE** 3
- **LIDERANÇA** 10
- **CORAGEM** 8

IDADE: 9 ANOS
CARGO NA PÁGINA PIRATA:
COLUNISTA CIENTÍFICO

FILHO DE UM CASAL DE CIENTISTAS, ESSE MENINO-GÊNIO ESTÁ BEM ADIANTADO NA ESCOLA. É O MEMBRO MAIS JOVEM DO JORNAL E O RESPONSÁVEL PELAS MATÉRIAS DE MAIOR TEOR DIDÁTICO.
A FOME QUE SENTE É PROPORCIONAL À CRIATIVIDADE DA QUAL SE UTILIZA PARA PROJETAR AS MAIS MIRABOLANTES INVENÇÕES. GORDINHO E VICIADO EM GULOSEIMAS, ACABOU GANHANDO DOS AMIGOS O APELIDO DE PAÇOCA.

- **FORÇA** 4
- **INTELIGÊNCIA** 10
- **VELOCIDADE** 1
- **LIDERANÇA** 7
- **CORAGEM** 3

PAÇOCA
PLÍNIO

IDADE: 13 ANOS
CARGO NA PÁGINA PIRATA:
ILUSTRADOR E QUADRINISTA

ALUNO REPETENTE, BETO É O MAIS VELHO DA TURMA E, POR ISSO, SE SENTE OBRIGADO A SEMPRE PROTEGER OS DEMAIS. O APELIDO QUE GANHOU SE DEVE AO SEU PAVIO CURTO: ELE NUNCA FOGE DE UMA BRIGA.
ÓRFÃO DE MÃE E DE ORIGEM HUMILDE, PIMENTA PRECISA SE DESDOBRAR ENTRE A ESCOLA E OS BICOS COMO ENTREGADOR.
É SOBRINHO DO DIRETOR DA ESCOLA, QUE LHE CONCEDEU UM BOLSA E VIVE PEGANDO NO SEU PÉ PARA QUE ELE SE DEDIQUE AOS ESTUDOS.

FORÇA	10
INTELIGÊNCIA	2
VELOCIDADE	6
LIDERANÇA	8
CORAGEM	10

Pimenta
BETO

SIGA NO TWITTER:
@asophiaprincesa

IDADE: 11 ANOS
CARGO NA PÁGINA PIRATA:
COLUNISTA DE FOFOCAS

A VIDA DA GAROTA MAIS LINDA E POPULAR DA ESCOLA É UM VERDADEIRO CONTO DE FADAS: ELA SEMPRE CONSEGUE TUDO O QUE DESEJA E MAIS UM POUCO. SEUS PAIS MILIONÁRIOS NÃO LHE DEIXAM FALTAR ABSOLUTAMENTE NADA, E SUA COLUNA DE FOFOCAS NA PÁGINA PIRATA É CONSIDERADA LEITURA MAIS DO QUE OBRIGATÓRIA PELOS COLEGAS.
É UMA DEFENSORA FERRENHA DOS DIREITOS DOS ANIMAIS, PRINCIPALMENTE OS DE SUA CADELA YORKSHIRE, PENÉLOPE.

Princesa
ANA SOPHIA

FORÇA	3
INTELIGÊNCIA	3
VELOCIDADE	6
LIDERANÇA	8
CORAGEM	3

SIGA NO TWITTER: @zecapiolho

PIOLHO
ZECA

IDADE: 10 ANOS
CARGO NA PÁGINA PIRATA:
FOTÓGRAFO

SUPER ATIVO E DIVERTIDO, É O AMIGO QUE TODOS GOSTARIAM DE TER POR PERTO, NÃO FOSSE POR UM DETALHE: SEU FEDOR PAVOROSO, RESULTADO DE SUA AVERSÃO À TOMAR BANHO. A COCEIRA CONSTANTE QUE SENTE NA CABEÇA RENDEU-LHE O APELIDO DE PIOLHO, PARA DESESPERO DE SUA MÃE E TAMBÉM DE SEU IRMÃO, PINGUIM. CORAGEM NÃO É O PONTO FORTE DESSE ASPIRANTE A FOTÓGRAFO. MAS ISSO ELE COMPENSA COM MUITO BOM HUMOR.

FORÇA	6
INTELIGÊNCIA	4
VELOCIDADE	8
LIDERANÇA	6
CORAGEM	4

IDADE: 11 ANOS
CARGO NA PÁGINA PIRATA:
CRIADOR DE PASSATEMPOS E ATIVIDADES

INTELIGENTE E OBSERVADOR, PINGUIM GANHOU ESSE APELIDO POR NUNCA SENTIR FRIO, SENDO CAPAZ DE SAIR SEM CAMISA NO INVERNO SEM SE DEIXAR ABALAR. SOFRE COM O CALOR DO VERÃO, FICANDO RAPIDAMENTE SUADO DOS PÉS À CABEÇA. NÃO É INCOMUM QUE SEUS LIVROS E CADERNOS SE DESFAÇAM DURANTE A AULA DE TÃO MOLHADOS. PINGUIM PERDEU UM ANO ESCOLAR APÓS A MORTE DO PAI E PASSOU A ESTUDAR NA MESMA TURMA QUE O IRMÃO, PIOLHO.

FORÇA	6
INTELIGÊNCIA	6
VELOCIDADE	5
LIDERANÇA	5
CORAGEM	7

PINGUIM
LÉO

SIGA NO TWITTER: @petecavivi

PETECA

VIVIANE

IDADE: 10 ANOS
CARGO NA PÁGINA PIRATA:
COLUNISTA DE SAÚDE E NUTRIÇÃO

NASCIDA EM UMA FAMÍLIA DE ATLETAS, AMA PRATICAR ESPORTES, COMO A GINÁSTICA ARTÍSTICA, QUE É A SUA MAIOR PAIXÃO. LINDA, CHEIA DE PERSONALIDADE E ATITUDE, ADORA SE DIVERTIR COM PRINCESA, SUA MELHOR AMIGA.
PETECA GANHOU ESSE APELIDO POR CAUSA DE SEU CABELO ESPETADO E POR NÃO CONSEGUIR FICAR PARADA MAIS DO QUE DOIS SEGUNDOS SEM COMEÇAR A SE EXERCITAR.

FORÇA	8
INTELIGÊNCIA	5
VELOCIDADE	10
LIDERANÇA	2
CORAGEM	5

Saiba mais sobre essa turma em:

www.paginapirata.com.br

www.facebook.com/PaginaPirata

www.palladinum.com.br

www.facebook.com/Palladinum

Capítulo 1
O Presente de Princesa

O domingo ensolarado estava perfeito para uma festa de aniversário ao ar livre. Beto – ou Pimenta, como seus amigos da Página Pirata gostavam de chamá-lo – caminhava por uma rua arborizada e tranquila do bairro mais elegante de Vale Prateado. Animado, arriscava alguns passos de dança enquanto assoviava um *funk* que não saía de sua cabeça há dias.

Pimenta levava nas mãos um envelope rosa, a cor favorita de Ana Sophia. Princesa, como ela era mais conhecida, convidara os amigos de escola para seu aniversário, e o rapaz não queria chegar na casa dela de mãos abanando. Só que como ele não conseguira pensar em nada que pudesse comprar com suas poucas economias, decidira lançar mão de seu talento e fazer algo especial: um desenho da garota feito a lápis. Estava louco para ver a reação dela quando visse seu presente.

A luxuosa mansão onde Princesa morava com os pais era o ponto de encontro de praticamente todas as reuniões da Página Pirata e, por isso mesmo, Pimenta já era conhecido ali. Ao parar na frente do portão, fez sinal para o segurança, que acenou de volta e apertou o botão para deixá-lo entrar na residência. Foi então que o rapaz ouviu o ronco de um motor, seguido por um cantar de pneus. Se não tivesse se jogado para trás, com certeza teria sido atropelado pelo maluco que agora lhe gritava ofensas:

— Sai da frente, pivete! — esbravejou o motorista do carro conversível mais incrível que Pimenta já vira na vida. — Esse lugar não é pra gente da sua laia!

Estatelado na calçada, Beto ouviu gargalhadas vindas do banco de trás do automóvel. Eram dois rapazes da sua idade, vestindo roupas refinadas. Só podiam ser irmãos gêmeos, pois um tinha a mesma cara de debochado do outro. Pimenta os encarou com raiva e só não criou caso porque sabia que eram convidados de Princesa.

— Aí, moleque — falou um dos gêmeos —, esse seu cabelo é de verdade? Parece que tem uns bichos saindo da sua cabeça! Ha, ha, ha...

A provocação fazia referência aos cabelos compridos, estilo *dreadlocks*, que Pimenta gostava de usar. O pai dos meninos, um coroa bigodudo com ares de "dono do mundo", pisou no acelerador e entrou na mansão.

— Você está bem, Beto? — quis saber o segurança, que deixou a guarita para vir ajudar o rapaz a se levantar. — Logo vi que esses aí eram gente do pior tipo... O que sobra em dinheiro falta em educação.

Pimenta agradeceu a ajuda, mas preferiu esquecer o ocorrido. Não estava a fim de brigar naquele dia. Tudo o que queria agora era ir ao encontro de Princesa para lhe dar os parabéns e entregar seu presente.

E, quem sabe, talvez, conseguir roubar um selinho?

Pimenta subiu a pé a ladeira que conduzia à entrada da mansão, passou por um chafariz e atravessou o estacionamento com-

A S.U.P.E.R. Gincana

pletamente tomado pelos carrões dos convidados. Caminhou pelos jardins e chegou a uma grande área de lazer decorada com faixas e balões coloridos, onde havia piscina, churrasqueira, quadra de tênis e um pequeno campo de futebol.

O pai de Princesa, o milionário Fábio Ventura, era o dono de uma famosa rede de artigos esportivos – as lojas Ventura – e era, ele próprio, um amante da prática de esportes. Beto nutria admiração pelo empresário, principalmente por ele conhecer pessoalmente vários ídolos do futebol, tendo aparecido ao lado de muitos deles na TV. O único problema na relação entre os dois era a tromba que o ricaço fazia toda vez que flagrava Pimenta com cara de idiota, admirando a beleza estonteante de sua filha.

E era mais ou menos essa a cara que ele estava fazendo agora.

Pimenta congelou ao avistar Princesa, de longe, conversando com um grupo de amigas à beira da piscina. O brilho do sol parecia deixar os cabelos da jovem ainda mais dourados. Ela era bonita demais e, ainda por cima, estava usando um biquininho... O rapaz até deixara de ouvir a música que saía das caixas de som e as vozes dos convidados; naquele instante só tinha olhos e ouvidos para a garota que considerava a mais linda do mundo.

— Beto, você sempre atrasado, né?

Pimenta acordou do transe quando ouviu chamarem por ele.

— Você estava fazendo falta na festa! Se perdeu, foi? — brincou Pastilha ao vir cumprimentar o amigo.

— É que eu atravesso a cidade toda de ônibus pra chegar até aqui...

— A gente sabe, mas fica tranquilo que ainda tem muita comida! — disse Piolho, carregando um prato cheio de

13

petiscos. — Eu já *tô* quase explodindo... *BUUURRP!* — O garoto soltou um arroto tão alto que atraiu olhares de reprovação de alguns convidados.

— Isso sem falar dos sanduíches, dos canapés, das pizzas, da pipoca, do algodão-doce, do refrigerante... Nham-nham! — completou Paçoca, que trazia um monte de guloseimas em ambas as mãos e tinha farelos espalhados pelas bochechas rechonchudas e pelo barrigão ainda molhado de água da piscina.

— Nem fala. Eu *tô* aqui morrendo de fome só de sentir esse cheiro e louco pra dar um mergulho. Mas *guenta* aí que primeiro eu quero dar o presente pra Princesa.

— Ela está bem ali com a Peteca e as meninas da turma — falou Pinguim, de dentro da piscina, apontando para o grupinho que era só risadas e fofocas.

Pimenta encarou a aniversariante e respirou fundo, criando coragem para ir cumprimentá-la. Vendo que o amigo não tomava a iniciativa, Piolho e Paçoca o empurraram até onde estavam as garotas. Quando se deu conta, Beto já estava diante de Princesa, que o encarou com um semblante aborrecido. Educada, a jovem forçou um sorriso para parecer simpática, afinal ele era um de seus convidados. A verdade era que ela o achava um mala e só o convidara por educação, já que seus pais haviam feito questão de que ela chamasse todos os seus colegas de sala.

— Eu t-trouxe isso aqui p-pra v-você... P-parabéns!

Pimenta ergueu o envelope, mas antes que a jovem pudesse apanhá-lo, um vulto se colocou no caminho.

— Bom dia, Ana Sophia Ventura. Muito prazer em conhecê-la. Meu pai falou muito bem de você.

— O *nosso* pai falou muito bem de você. Parabéns pelo seu aniversário.

Princesa abriu um largo sorriso ao encarar os gêmeos. Sabia que eram filhos de um empresário que vinha fazendo negócios com o pai dela, mas o fato de serem ricos *e* gatos a encantou. Tanto que as outras garotas logo se meteram na conversa também, a começar por Peteca, que grudou na melhor amiga, curiosa para saber o que havia dentro da caixinha preta enfeitada por um laço dourado que os irmãos bonitões tinham na mão.

Pimenta sentiu o sangue ferver ao ver que os tais gêmeos eram os mesmos que o haviam ofendido na entrada. Sem se dar por vencido, tratou de empurrá-los para o lado e falou:

— Como eu *tava* dizendo, eu trouxe uma coisa especial pra você, Princesa. Toma.

Beto ofereceu o envelope, mas a jovem sequer olhou para ele.

— Pode colocar lá na pilha, junto com o resto dos presentes. Depois eu vejo.

O rapaz engoliu em seco.

— É q-que é um presente meio diferente. Bem original. Queria ver a sua reação e...

— Não ouviu o que ela disse, palhaço? — falou um dos gêmeos, olhando feio para Pimenta. — Coloca esse lixo junto das coisas que ela ganhou porque ela agora vai abrir um presente de verdade.

Princesa apanhou a caixinha das mãos de um dos filhos do milionário e tratou de abri-la. Todas as garotas suspiraram ao ver o que era: um belíssimo colar de ouro com brilhantes.

— Que lindo! Ai, nem sei o que dizer. Obrigada, ãnnn...

— Ora, desculpe a nossa falta de jeito, Ana Sophia... A gente nem se apresentou! O meu nome é Felipe Dante e este é o meu irmão, Caio.

As garotas ao redor quase morreram só de ouvir os nomes cheios de pompa dos irmãos Dante. Olhavam para eles como se fossem os astros de algum programa de TV.

Pimenta fez que ia começar uma briga, mas foi interrompido por latidos desesperados, sendo repentinamente levado ao chão por uma bolinha de pelos que se atirara contra seu peito. Era Penélope, a *yorkshire* premiada de Princesa, que não escondia seu amor pelo rapaz, lambendo seu rosto em meio a ganidos de saudade.

A S.U.P.E.R. Gincana

Os gêmeos encararam a cena com desdém. Caio, ajeitando o topete coberto de gel, quis saber:

— Esse cara é algum penetra, Ana Sophia? Se ele estiver incomodando, podemos colocar ele pra fora da sua festa...

— Quem? O Pimenta? Ah, ele é só um colega da escola... Esqueçam ele. Mas, me digam: é verdade que vocês estudam no Colégio Vitoriosos? Aquele lugar é um espetáculo de lindo...

O grupo de garotas continuou a conversar com os gêmeos, ignorando a presença de Pimenta e Penélope. O resto da turma da Página Pirata veio falar com o amigo caído no chão.

— Anda, dá aqui o seu presente que eu coloco ele ali junto com as coisas que a Princesa ganhou. A boa agora é a gente ir lá pro campo bater uma bolinha — sugeriu Piolho, arrancando o envelope das mãos do amigo e o atirando na gigantesca pilha de presentes, onde o papel desapareceu.

— Sério que vocês querem jogar nesse calor? — questionou Pinguim, que estava só de bermuda e todo molhado de suor. — Saí da água por um minuto e já estou derretendo. Por mim ficava na piscina o dia inteiro...

— Então volta pra lá, ué. Você sabe que eu não encaro água, a Pastilha vive resfriada e o Paçoca... Bom, se ele voltar a pular na água, igual fez da primeira vez, corre o risco de apagar o fogo do churrasco com uma *tsunami*.

— Ora, seu...!

Gargalhando alto, Piolho saiu correndo em direção ao campo, sendo perseguido por Paçoca. Mas após oito passos de corrida, o gordinho precisou sentar no chão para reabastecer as energias com mais um cachorro-quente.

Ao ver que Pimenta ainda pensava em arrumar confusão com os gêmeos, Pastilha insistiu com Pinguim para que levasse o amigo esquentado para o campo. Contrariado, o garoto obedeceu; agarrou Beto pelo braço e o arrastou para o futebol. Penélope foi atrás, abanando o rabo.

— Olha lá, Felipe, tem uma galera indo jogar. Vamos?

— Boa, Caio. Hora da gente mostrar quem são os bons.

Os irmãos Dante se despediram das garotas – que lamentaram estarem sendo trocadas por uma bola – e seguiram para o campo. Nem preciso descrever a cara que Pastilha fez ao ver que aqueles dois também se dirigiam ao local do jogo.

— Não acredito! — protestou Pastilha. — Mandamos o Pimenta para longe daqui pra evitar confusão e lá vão aqueles dois metidos atrás dele! O que a gente faz agora?

— Torce pra que fiquem todos no mesmo time... *Chomp!* — respondeu Paçoca, enfiando uma porção de salgados na boca de uma só vez.

Mas é claro que o destino quis que Pimenta, Piolho e Pinguim ficassem em um time e os gêmeos ficassem em outro. Antes que o apito de início de jogo soasse, Felipe Dante encarou Beto bem de perto e comentou com o irmão, fazendo questão de que o oponente o escutasse:

— Pobre, para ser alguém na vida, só jogando futebol mesmo... Ha, ha, ha!

Pimenta tinha os punhos cerrados e a cara amarrada. Piolho e Pinguim trocaram olhares apreensivos. Sabiam que aquilo não iria acabar bem.

Capítulo 2
Conversa de Adulto

Pastilha e Paçoca acompanhavam a partida de futebol de longe, torcendo para que não acabasse em briga. Peteca e Princesa também não tiravam os olhos dos jogadores, só que a intenção delas era outra.

— Amiiiigaaaa, como assim você nunca me apresentou esses gatinhos fofos? E o melhor é que a gente nem precisa brigar por eles, já tem um pra cada uma! — brincou Peteca, agitando os pés dentro da água da piscina.

— Ai, amiga, são lindos mesmo, né? E o colar que me deram? Noooossa... Mas olha, eu nem conheço eles. Só sei que são filhos daquele cara ali, ó, o de bigodão. O cara é muito rico e vem fazendo negócios com o meu pai já tem tempo. Estão num projeto juntos, pelo que andei escutando.

Princesa apontou para um grupo de adultos que trocava ideias bem ao lado do campo de futebol, acompanhando o andamento da partida dos garotos. Além do pai dela e o dos gêmeos, estavam ali também o pai de Peteca e o de Paçoca.

— O que será que eles tanto falam?

— Ah, Peteca, o seu pai e o do Paçoca têm falado direto com o meu por telefone. Sei que andaram fazendo umas reuniões, mas não faço ideia do que estão tramando... É coisa que quem tem dinheiro faz pra ganhar mais dinheiro, entende?

— Sei como é. Engraçado, o meu pai não comentou nada comigo... Se bem que ele e o seu pai já fizeram tanta coisa juntos, né?

— Claro, né, Vivi? Botar o nome do seu pai num artigo esportivo é venda certa. Você é a filha do cara que mais trouxe medalhas em atletismo para o Brasil! Quem nunca ouviu falar do "Janjão de Ouro"? A sala da sua casa parece até um museu com todos aqueles troféus...

— Ai, é mesmo. Meu pai é meu orgulho! Mas e quanto ao pai do Paçoca? O que ele está fazendo ali?

O menino ouviu que falavam dele e tratou de ir sentar ao lado das garotas na borda da piscina, arrastando Pastilha junto.

— O que é que tem o meu pai?

— Você sabe que assunto é esse que aqueles quatro tanto conversam, Paçoca?

— Ah, o meu pai falou por alto sobre ter feito umas reuniões na sede da Ventura... É sobre um projeto ultra secreto, pelo que entendi, mas não sei nada além disso. Só sei que ele tem passado os dias enfiado no laboratório lá de casa trabalhando nisso.

— Vai ver que ele está construindo algum robô atleta pro seu pai, Princesa.

— E o meu pai vende robô na loja dele desde quando, Peteca? Deve ser alguma outra coisa... Projeto secreto, é? Nossa, agora fiquei curiosa!

— E você, Pastilha? — falou Peteca. — Está tão quieta hoje... Está tudo bem?

— Tudo. Só estava aqui pensando no evento de amanhã na escola. Como o diretor vai falar sobre a Gincana Interescolar a gente tem que chegar lá bem cedo. Isso vai render uma ótima matéria para a próxima edição da Página Pirata. Eu soube que já tem mais de cinco anos desde a última vez que o São João participou do torneio. A gente nem estudava lá ainda!

— Ai, vai ser muito legal competir com outros colégios! — comemorou Peteca, esfregando as mãos. — Tomara que tenha um monte de modalidades esportivas...

— E eu espero que tenham muitas provas de conhecimento, como redação e matemática.

— Podia ter um concurso de beleza, né? Eu ganhava fácil!

Pastilha, Paçoca e Peteca olharam espantados para Princesa e caíram na gargalhada diante da pouca modéstia da jovem, que se irritou com a reação dos demais.

— Podem rir, invejosos. Eu confio no meu potencial, tá?

A partida de futebol transcorria normalmente, com um ou outro encontrão entre Pimenta e algum dos gêmeos. O rapaz vinha dando um baile neles, fazendo finta, driblando, passando a bola por baixo de suas pernas, dando chapéu, humilhando-os na frente de todos. Até os companheiros de time dos irmãos Dante estavam insatisfeitos com o desempenho deles no jogo, acusando-os de serem fominhas, de darem muitos passes errados e de perderem um monte de gols. O resultado disso tudo foi que o time que contava com Pimenta, Pinguim e Piolho venceu por 5 X 2, um feito muito celebrado pelos garotos.

Foi quando um dos gêmeos veio tirar satisfação:

— Está comemorando o quê, palhaço?

Turma da Página Pirata – Marcelo Amaral

— Falou comigo? — desafiou Pimenta. — Não sabe perder?
— Se põe no seu lugar, moleque. Nem era pra você estar aqui, junto com a elite.
— Eu fui convidado que nem você.
— Devem ter te chamado aqui pra trabalhar, isso sim. Anda, vai lá na churrasqueira e traz uma carne pra mim, vai!

O pai de Princesa interveio bem na hora em que Pimenta ia bater nos gêmeos. Fábio Ventura pediu calma aos garotos e mandou que pulassem na piscina para esfriarem a cabeça. Os brigões acabaram cedendo aos apelos do anfitrião. Pimenta correu para a piscina junto com Pinguim e Penélope, que pulou na água com os rapazes. Piolho foi se sentar ao lado de Pastilha e Paçoca. Já os irmãos Dante foram reclamar com o pai, que foi logo tirar satisfações com o dono da casa sobre o que acabara de acontecer.

Pimenta notou quando Princesa e Peteca foram atrás dos gêmeos, perguntando se eles estavam bem. Aquilo o deixou irritado. Por que não tinham vindo saber se *ele* estava bem? Ao perceber o incômodo do amigo, Piolho quis mudar de assunto:

— Galera, imagina como seria bacana se eu e o Pinguim fôssemos gêmeos? Ele seria muito mais bonito! He, he, he...

— Ah, mas eu nasci primeiro, sabichão. Você é que ia nascer com a minha cara.

— É verdade! Ainda bem que a gente não é gêmeo, então. De feio já basta você.

Indignado, Pinguim foi até a beira da piscina, agarrou o irmão pelas pernas e o puxou para dentro da água.

TCHIBUM!

A gargalhada foi geral.

— Olha só o que você fez, Pinguim! — disse Paçoca, chorando de tanto rir. — Contaminou a água da piscina todinha de sujeira... Hi, hi, hi!

A turma continuava a rir, mas então o riso deu lugar à aflição quando viram Piolho batendo os braços na água feito um doido e gritando bem alto:

— Socorro! Glub! Socorro! Glub! Eu não sei nadaaaar!

Pimenta nadou até o amigo e o ajudou a sair da piscina. Encharcado, Piolho xingou o irmão de tudo o que havia de pior em seu repertório. As ofensas só terminaram quando a mãe de Princesa anunciou ao microfone que chegara o momento de cantarem o parabéns.

— Hora de atacar o bolo!!! — gritou Piolho, esquecendo a travessura do irmão mais velho e tratando de correr para a mesa de doces junto com Paçoca.

— Não vão passar mal, hein? — ralhou Pastilha. — Teremos muito trabalho a fazer amanhã na escola.

— Pode deixar, chefa. Só que hoje é domingo, então me esquece, falou? — devolveu Piolho, roubando um punhado de docinhos e os enfiando todos de uma vez na boca.

Pimenta desceu do ônibus e ainda precisou andar mais vinte minutos até chegar ao pé da Ladeira do Galo Preto. Deu *tchau* para a simpática senhora que cuidava do bar da esquina e se pôs a subir a escadaria que o levaria até sua casa. Durante a subida viu os vizinhos jogando bola na rua, uma gritaria só. Um dos meninos acenou para ele, chamando-o para jogar, mas Pimenta explicou que estava muito cansado e de barriga cheia, pois voltava de um churrasco.

— Esse aí não se mistura com a gente, não — disse um garoto mais velho, de quem Beto não gostava. — Mora aqui no morro, mas fica lá no asfalto achando que é rico!

Os garotos acharam graça e fizeram piadas, mas Pimenta não respondeu às provocações. Sabia valorizar a oportunidade dada pelo tio de estudar no Colégio São João, ainda que fosse muito difícil para ele acompanhar o ritmo puxado de estudos. Seu futuro dependia daquele esforço. E tudo o que ele mais queria era ter uma vida diferente da do pai.

Beto parou na frente de casa e suspirou antes de passar a chave na fechadura enferrujada. A casa inteira rangeu quando a porta se abriu. Uma sala, um quartinho e um banheiro era tudo o que havia ali. Que diferença da mansão de Princesa!

O som alto da TV logo lhe chamou a atenção. Seu pai assistia aos *replays* dos gols da rodada. O rapaz deu boa tar-

A S.U.P.E.R. Gincana

de, mas o pai não respondeu. Era sempre assim: os diálogos naquela casa só costumavam sair da boca de Pimenta. Seu pai nunca dizia nada, a não ser para lhe dar uma bronca ou para mandá-lo ir na rua comprar alguma coisa.

Beto puxou uma cadeira e ficou ali, em silêncio, vendo os gols do seu time. Não pudera assistir ao jogo pela TV no sábado, pois o dono da quitanda havia lhe pedido para fazer algumas entregas que lhe tomaram a tarde toda. Precisava do dinheiro para comprar o material de desenho e da escola, e por isso nem cogitou recusar o trabalho. Mas agora que assistia aos gols de seus jogadores favoritos pela TV, vibrou como se estivesse vendo os lances ao vivo. Admirava o talento daqueles craques, a ginga, o domínio preciso da bola.

Entrou o intervalo comercial.

"Que coincidência", pensou o rapaz enquanto passava o anúncio das lojas Ventura mostrando a chuteira de seus sonhos em promoção. Pelas suas contas, ele teria que trabalhar uns dois anos para poder pagar por aquela beleza. Pimenta ainda admirava a chuteira quando o pai desligou a TV para sair.

— Vai dar uma volta?

O pai não respondeu, limitando-se a bater a porta de casa.

Beto deu de ombros e voltou a ligar a TV. O jornal esportivo havia acabado, começava agora um filme policial. O filme até era bom, mas não o bastante para conseguir tirar a chuteira da cabeça do rapaz.

Pimenta não sabia como, mas sentia que, algum dia, usaria uma chuteira ainda mais incrível do que aquela.

Capítulo 3
O Anúncio

Na manhã seguinte, alunos do quinto ao nono anos estavam reunidos no auditório do Colégio São João, aguardando o início da apresentação do diretor Roger. Pastilha aproveitou o atraso para repassar com sua equipe o papel que cada um iria desempenhar na cobertura do discurso.

— Só para relembrar, pessoal: eu e o Paçoca vamos sentar lá na frente para tomarmos nota de tudo. Piolho, você é o nosso fotógrafo e vai ficar circulando pelo auditório; precisa registrar a reação dos alunos. Pinguim e Pimenta, quero vocês dois colados nos professores; se der, arranquem declarações ainda durante a fala do diretor. Princesa e Peteca, quero as duas misturadas aos alunos e atentas a qualquer buchicho, tomando nota dos comentários que acharem mais interessantes. O nosso objetivo é saber se o discurso atendeu às expectativas de todo mundo.

— Você fala como se a gente fosse cobrir a vinda de alguma celebridade — desdenhou Princesa. — É só o diretor da escola falando como vai ser essa tal gincana. Relaxa!

— O nome disso é profissionalismo, querida. A gente nunca sabe quando pode estar dando o furo jornalístico das nossas vidas.

Indignada, Ana Sophia fez que ia responder, mas foi interrompida pela voz do diretor Roger ao microfone. Antes

A S.U.P.E.R. Gincana

que Pastilha desse um ataque, todos os membros da turma trataram de correr e assumir seus postos.

— Bom dia, queridos alunos e professores. Tenho a honra de anunciar nossa participação na VI Gincana Interescolar de Vale Prateado, que reunirá quatro escolas de nossa cidade. Como nas edições anteriores, o evento visa promover o engajamento social, incentivar a prática de esportes e valorizar o conhecimento. Além disso, os alunos desenvolverão projetos ambientais dentro de um tema que será visto em sala de aula e que é de grande importância para nosso futuro. Esse tema é: "Água para todos".

Como boa jornalista, Pastilha tomava nota de tudo.

— Daqui a exatas seis semanas, muitos de vocês terão a responsabilidade de nos representar na disputa com outras três instituições de ensino de Vale Prateado: os colégios Vitoriosos, Estrela Azul e Riso Feliz.

Um burburinho de excitação se formou entre os alunos.

— Eu ouvi direito? — perguntou Princesa a Peteca. — A gente vai competir com o Vitoriosos? É a escola dos gêmeos, amiga! Nossa chance de encontrar aqueles gatinhos de novo!

As garotas se abraçaram e ficaram soltando gritinhos, enquanto o diretor prosseguia com o discurso.

— Serão três dias de torneio envolvendo atividades esportivas e culturais. Mais tarde, na hora do recreio, vocês encontrarão a lista com todas as modalidades em nosso mural de avisos. Os professores envolvidos farão uma pré-seleção dos alunos inscritos em cada atividade. Eles vão montar as equipes que irão representar nossa escola lá no Colégio Vitoriosos, local onde acontecerá a maioria das provas — o diretor precisou interromper o discurso por um instante, devido ao falatório que se formou entre os estudantes. — Silêncio, por favor! Sim, é isso mesmo: nem todas as atividades serão realizadas aqui. O Colégio Vitoriosos, conhecido por sua ampla infraestrutura esportiva, cederá, mais uma vez, espaço para todas as competições.

— Petecaaaaa!!! Você ouviu isso? — berrou Princesa, que precisou continuar a falar através de sussurros, após alguns alunos terem mandado que se calasse. — A gente vai lá onde os gêmeos *cuti-cuti* estudam!

— Siiiim! Ai, o lugar deve ser tão lindo...

— Eu sei, fica pertinho da minha casa. Meu pai bem que tentou me matricular lá, mas eu não passei na prova de seleção. O ensino lá é super puxado. Se eu já tiro nota baixa aqui no São João, imagina o que seria de mim lá! Ha, ha, ha...

— E aqueles gêmeos são tão fortes... Com certeza vão estar nas competições.

— Isso é certo. Ai, eu *preciso* ser selecionada pra essa gincana, Vivi, nem que seja a última coisa que eu faça...

— Eu também! Vou me inscrever em tudo que é modalidade, amiga.

Antes de encerrar sua fala, o diretor Roger anunciou um concurso cultural para escolher o melhor "grito da torcida"; uma frase que representasse o Colégio São João para ser cantada nas arquibancadas durante as competições.

— Puxa, que legal! Vou concorrer com várias ideias — disse Pastilha para si mesma.

Terminado o discurso, os alunos foram para suas salas. Era fácil perceber a empolgação de cada um diante da pers-

A S.U.P.E.R. Gincana

pectiva de representar o colégio na competição. Não demorou muito e os integrantes da turma da Página Pirata já estavam reunidos dentro de sala, aguardando a chegada do professor de Matemática.

— E aí, tomaram nota de tudo o que ouviram durante o discurso? — quis saber Pastilha.

— Os professores estão animados com a gincana. Só achei estranho o comportamento do Chicão e do Pedro — informou Pinguim, se referindo aos professores de Educação Física e de Ciências. — Pelo pouco que ouvi da conversa, eles têm uma bronca danada desse tal Colégio Vitoriosos... Só não sei o por quê.

— Que coisa... Agora fiquei curiosa! Vamos ter que investigar essa história.

— Bom, eu fiz um monte de fotos, do jeitinho que você pediu, chefa — disse Piolho, exibindo sua câmera. — E o que eu mais gostei foi quando o diretor disse que serão três dias de gincana, o que significa menos dias de aula. É perfeito!

Pastilha revirou os olhos, indignada com o comentário de seu fotógrafo.

— E vocês, meninas? Anotaram alguma coisa sobre a reação dos alunos?

Princesa e Peteca trocaram olhares apreensivos. As duas haviam fofocado tanto durante o discurso que esqueceram completamente de prestar atenção aos comentários da plateia.

— Senti que o pessoal achou tudo muito legal — improvisou Princesa.

— Uau, que análise profunda. Algo mais?

— A gente ficou muito animada com o local da competição — confessou Peteca. — Dizem que esse Colégio Vitoriosos é maravilhoso.

— Os alunos que estudam lá também são. Ai, ai... — completou Princesa, levando as mãos ao coração.

As duas amigas riram, ignorando o olhar gélido de Pastilha.

— Ei, espera aí... — interveio Pinguim, cerrando os olhos e exercitando seu faro de detetive. — Eu já saquei por que as duas estão aí, tão animadinhas. Aqueles gêmeos que estavam lá na sua festa, Princesa... Eles estudam no Vitoriosos, acertei?

— Acertou, sim, sabichão. São filhos de um sócio do meu pai. E lindos do jeito que são, com certeza estarão na gincana representando a escola deles.

— Só espero que não seja jogando futebol, porque nisso eles são uns pernas de pau! — ironizou Piolho, arrancando risadas dos amigos, principalmente de Pimenta.

Antes que Peteca e Princesa pudessem retrucar, o professor de Matemática apareceu no corredor e ordenou que todos entrassem na sala, pois a aula já iria começar.

— No recreio a gente conversa, pessoal — determinou Pastilha, guardando as anotações que recebera de cada um em seu caderno. — Agora é hora de estudar.

Capítulo 4
O Anúncio das Modalidades

Na hora do recreio, metade da escola desceu às pressas ao pátio e correu até o mural de avisos. Os alunos se debatiam, todos queriam ser os primeiros a conferir a lista com as modalidades da gincana. Levou algum tempo até que Pastilha conseguisse chegar perto do painel, cercada por Piolho, Pimenta e Pinguim, que agiam como se fossem seus seguranças particulares. Ao se ver diante do quadro, a menina se pôs a copiar as informações, em meio ao empurra-empurra:

VI Gincana Interescolar de Vale Prateado
***Participantes:** alunos do 5º ao 9º anos*

Atividade Social:
Arrecadação de alimentos, agasalhos e brinquedos para doação.

Modalidades Educativas:
- História em Quadrinhos
- Matemática
- Projeto Ambiental de Ciências
- Redação

Modalidades Esportivas:
- Animação de Torcida
- Atletismo
- Basquete
- Futebol
- Natação
- Vôlei
- Xadrez

> ### *Concurso Cultural: o Grito da Torcida*
>
> *Crie um grito de torcida para a escola e envie-o através do nosso Portal. Mande quantas sugestões quiser. As dez frases mais criativas serão selecionadas por um júri de professores.*
>
> *As frases selecionadas serão colocadas para votação. O autor do melhor grito de torcida terá a honra de levar a bandeira de nossa escola na abertura da gincana interescolar. Participem!*

Após ter anotado, tim-tim por tim-tim, todas as informações sobre a gincana, Pastilha se retirou do tumulto, mais uma vez protegida por seus seguranças, que davam empurrões e mandavam que os outros alunos saíssem da frente. Ao deixarem a confusão, a menina sentiu que o ar lhe faltava. Nervosa, apanhou a bombinha e sugou uma dose de remédio para asma. Aliviada, fez sinal para que os demais membros da turma viessem até ela para uma pequena reunião. Leu em voz alta tudo o que havia anotado. Ao término da leitura, Piolho foi o primeiro a comentar:

— Show. Vou me inscrever em Futebol e só.

— Eu também — falou Pimenta. — Se bem que História em Quadrinhos, né? É a minha cara!

— Lógico que você vai se inscrever nisso também, Beto — determinou Pastilha. — Você é o melhor desenhista da escola inteira!

— Eu vou de Xadrez, Futebol e Natação — avisou Pinguim. — Sou fera no xadrez, duvido que alguém de outra escola ganhe de mim.

A S.U.P.E.R. Gincana

— Nossa, quanta modéstia... — debochou Princesa. — Já eu *amei* que vai ter animação de torcida. Faço dança desde criança, tenho certeza de que vão me escolher. Nem vou me inscrever em mais nada.

— E eu que não consigo me decidir? — falou Peteca, pensativa. — Acho que vou de Atletismo, Natação, Basquete e Vôlei. Amo tudo isso!

— E vai cair morta de cansaço, né? — brincou Paçoca. — Lembra que vão ser só três dias de competição, uma correria danada. Bem, eu com certeza vou me dedicar muito ao projeto ambiental. E quero me inscrever em Redação, Matemática e... Xadrez! Quero ver você ganhar de mim, Pinguim.

— Veremos, meu caro. Você pode ser gênio, mas eu sou um estrategista.

— E você, Pastilha? Vai escolher o quê? — quis saber Pimenta.

— Redação e Matemática. Tomara que todo mundo aqui passe nas seleções para a gincana. Imagina que chato se alguém da nossa turma ficar de fora?

— Ai, que fofa que você é, Ju. Pela nossa amizade, a gente tem mesmo que torcer para que todo mundo aqui consiga participar.

— Não é só por isso, Peteca. Somos a equipe da Página Pirata e temos um compromisso com nossos leitores de cobrir de perto o evento para a próxima edição. Vai ser muito mais interessante se a gente escrever os nossos relatos tendo feito parte das competições!

Os demais balançaram a cabeça, concordando.

— Então talvez eu me inscreva também no Atletismo... — disse Piolho, pensativo.

— Bom, o máximo que posso fazer a mais é mandar uma frase pra esse tal concurso do grito da torcida — informou Princesa. — Achei isso bacaninha.

— *Você* vai concorrer com uma frase? Hi, hi, hi...

— *Tá* rindo de quê, Pastilha?

— Nada, não... É que pra isso tem que ter criatividade e uma boa redação. Os professores é que vão selecionar as melhores frases.

— Sim, e depois essas frases vão ser votadas pelos alunos. Se eu chegar até aí, querida, pode ter certeza de que *eu* é que vou levar a bandeira da escola na abertura da gincana. Sou a mais popular da escola, todo mundo vai votar em mim. Ou melhor, na minha frase.

— *Se* você chegar até aí, lindinha. O que eu acho difícil, conhecendo o seu histórico de notas baixas em português.

— Eu posso até tirar nota baixa, mas pelo menos eu consigo *respirar* direito.

Vendo que o clima entre as duas garotas piorava a cada instante, Pimenta tratou de acalmar os ânimos:

— Bom, então ficamos combinados, né? Cada um vai se inscrever nas modalidades que escolheu. Toca aqui, galera, que é pra dar sorte!

Todos levantaram as mãos, exceto Pastilha e Princesa, que ainda trocavam olhares gélidos. Por fim, a editora-chefe da Página Pirata admitiu o erro ao ter começado as provocações e também ergueu a mão, forçando um sorriso.

— Peço desculpas, Princesa. Desejo boa sorte para você.

Princesa ergueu o braço e os sete bateram com as mãos em comemoração.

— Também desejo sorte para todos. Principalmente para você, Pastilha. Vamos ver qual de nós duas vai vencer esse concurso. Eu até já criei a minha frase.

O sorriso no rosto de Juliana se desfez. Ela sequer teve tempo de responder, pois a loura já estava longe, fofocando com outras meninas do colégio sobre o torneio.

— É, pelo visto, nas próximas semanas, todo mundo aqui na escola só vai falar dessa gincana! — profetizou Piolho, coçando a cabeça.

Capítulo 5
Os Escolhidos

O palpite de Piolho se mostrou quase certeiro. Realmente, nas semanas seguintes, boa parte dos alunos do Colégio São João não pensava em outra coisa que não fossem as provas que definiriam as equipes para a gincana. Mas a empolgação parecia estar restrita apenas aos alunos mais jovens, ou seja, os que participariam da competição. As turmas do ensino médio mal comentavam sobre o assunto e não pareciam nem um pouco animadas com a proximidade do evento, muitos inclusive davam a entender que sequer assistiriam ao torneio. Nada que diminuísse o clima de euforia que se instalara na escola, mas era um comportamento que chamara a atenção de alguns alunos mais antenados, como Pastilha.

É bem verdade que a edição da Página Pirata cobrindo o anúncio feito pelo diretor ajudara a colocar o tema ainda mais em evidência. Princesa, por exemplo, tivera a ótima ideia de usar sua coluna de fofocas para divulgar uma pesquisa de opinião que ela própria havia conduzido, perguntando quais eram os alunos com as maiores chances de representar a escola em cada modalidade da competição. A votação fora um sucesso, e a divulgação do resultado da pesquisa no jornal agitou a escola, especialmente porque a maioria das previsões vinha se confirmando à medida que os professores soltavam as listas com os nomes dos convocados.

A S.U.P.E.R. Gincana

O clima de festa se tornava mais contagiante a cada nova convocação, mas o que era motivo de alegria para uns, virava razão de tristeza para os que ficavam de fora da gincana. Aos eliminados restava ter de se contentar em ficar só na torcida.

Pastilha, metódica como só ela, vinha tomando nota do desempenho da equipe da Página Pirata em cada uma dessas provas. Paçoca, como já era de se esperar, conseguira entrar para o time de Matemática, mas ela própria se frustrara por ter ficado de fora dessa disputa, tendo que se contentar em ver seu nome somente na lista de selecionados para a modalidade Redação, na qual fora aprovada com louvor pela professora de Português junto com o amigo inventor.

Peteca sempre fora uma das mais cotadas entre os alunos para estar nas competições esportivas e seu favoritismo se confirmou ao conseguir cravar seu nome em três listas: Atletismo, Vôlei e Basquete. Isso a deixara feliz da vida.

Já Piolho fora um fracasso na seleção de Atletismo. Logo na primeira eliminatória, tudo o que conseguiu foi sair da pista fedendo feito um defunto, quase provocando uma evacuação em massa do ginásio. Por sorte, conseguira entrar para o time de futebol junto com Pimenta e Pinguim. Este último, porém, ficaria no banco de reservas, o que fora motivo de muita zoação por parte de seu irmão, escalado como titular.

Juliana enchera-se de orgulho ao descobrir que Pimenta havia conseguido também uma vaga na equipe de História em Quadrinhos, o que não foi surpresa para os que sempre acompanharam suas tirinhas na Página Pirata.

O resultado da seleção para Xadrez trouxe uma alegria a mais para a turma: tanto Pinguim quanto Paçoca haviam conseguido vagas na equipe e se mostravam animados com a possibilidade de se enfrentarem na final. Os dois faziam brincadeiras quanto a uma suposta rivalidade entre eles, mas a verdade era que treinavam juntos quase que diariamente. Afinal, estavam no mesmo time e não sabiam que tipo de adversários encontrariam pela frente.

Analisando os resultados até o momento, Pastilha se sentiu bem mais aliviada, pois todos os integrantes da Página Pirata já haviam garantido ao menos uma vaga na gincana interescolar. Ou melhor, quase todos.

Restava saber se Princesa, que se inscrevera apenas na modalidade Animação de Torcida, seria aprovada na última etapa eliminatória que acontecia naquele exato momento. A jovem se mostrava visivelmente nervosa diante da possibilidade de ficar de fora do torneio, o que seria o mico do ano para a garota mais popular da escola.

A arquibancada do ginásio estava lotada de alunos que acompanhavam com interesse a apresentação de cada grupo. O professor Chicão, de Educação Física, convidara uma colega coreógrafa para ajudar a treinar os estudantes inscritos nessa modalidade e ela fizera um trabalho formidável naquelas poucas semanas de treinos intensos, tanto na pré-seleção quanto na preparação dos alunos. As apresentações até o momento haviam sido muito boas e tinham arrancado aplausos entusiasmados da torcida.

— Muito bem, galera, hora do último grupo vir aqui se apresentar. Estou morrendo de fome, então façam valer a pena o atraso do meu almoço, ouviram? — brincou o técnico

A S.U.P.E.R. Gincana

Chicão, batendo com o dedo no relógio. Ele era uma figura divertida, mas suas aulas puxadas não eram exatamente uma unanimidade entre os alunos. A maioria gostava dele, mas não eram poucos os que o achavam um tanto rigoroso demais.

Princesa respirou fundo e foi se juntar ao seu grupo no centro da quadra, aguardando o início da música. Logo nos primeiros acordes ela já se viu arremessada para o alto por dois de seus colegas para então abrir os braços e saudar a torcida, tudo parte da coreografia que haviam ensaiado exaustivamente. Durante toda a performance, a garota demonstrou segurança, esbanjou sorrisos e encantou a plateia com sua energia contagiante e com o vai e vem de seus pompons coloridos. Não havia dúvida de que ela fora a aluna que mais se destacara naquela última apresentação. Restava saber se isto seria o suficiente para que ela fosse convocada para o time oficial.

Encerradas as apresentações, os avaliadores se reuniram para fechar a lista de aprovados. O auditório aguardou em silêncio, a tensão preenchendo o ar. Após longos minutos de debate, o professor Chicão se levantou e leu a lista em voz alta. Conforme os nomes eram chamados, gritos de alegria explodiam na plateia. Mas nada comparável à emoção que tomou conta de todos quando o nome Ana Sophia Ventura foi lido pelo professor. O ginásio quase veio abaixo, tamanha a euforia dos que estavam ali. A loura correu até seus amigos e os abraçou, pulou junto com eles e comemorou, feliz da vida.

Juliana conseguiu respirar um pouco mais aliviada, agora que toda a equipe da Página Pirata estava confirmada na gincana. No entanto, ela sabia muito bem que o fato de terem sido convocados era apenas o começo de uma difícil jornada.

A próxima etapa a ser superada pela turma antes do início da gincana seria, talvez, a mais desafiadora até então: trabalhar em um projeto ambiental de Ciências que fosse bom o bastante para ficar entre os três melhores da escola.

— Difícil, mas não impossível — disse a menina para si mesma.

Capítulo 6
O Projeto Ambiental

O professor Pedro reservou parte da aula para conhecer as ideias que cada grupo pretendia apresentar na feira de ciências, agendada para a véspera da gincana. Nesse dia, um júri formado por professores do São João escolheria os três projetos ambientais que representariam a escola no torneio.

— Turma, o tema dos trabalhos que vamos desenvolver juntos será "Água para Todos", um assunto super importante para o meio ambiente. Lembram quando vimos em aula que a água é um recurso renovável, mas não infinito? Pois então: é por isso que ela não deve ser desperdiçada.

— Mas professor, quando você explicou sobre o ciclo da água, eu entendi que ela está sempre se renovando por causa das chuvas — questionou Pinguim. — Então, como é que ela pode acabar?

— Ótima observação, Léo. Vamos relembrar essa aula? O professor fez um desenho no quadro.

— Esse é o ciclo de renovação da água. O sol é o motor do processo, pois é ele que aquece o mar e faz a água evaporar e subir até a atmosfera. Esse vapor d'água esfria e se transforma em gotículas, que formam as nuvens. Quando muita água se condensa, essas gotas ficam pesadas e caem como chuva e neve. Parte dessa chuva fica no solo. Outra parte segue pelos rios até o mar e então o ciclo se reinicia. Lembram disso?

— SIM! — todos confirmaram, acompanhando o raciocínio do professor.

— Então a chuva que alimenta os lençóis d'água, os rios e os lagos é a nossa principal fonte de água doce potável, ou seja, aquela que a gente pode beber. Quando falamos em preservar a água significa que devemos consumi-la num ritmo igual ou menor ao desse ciclo. Mas se a gente desperdiçar demais, as chuvas não terão tempo de repor a água e ela se tornará escassa, podendo mesmo vir a se esgotar um dia!

— E Deus teria, enfim, atendido às minhas preces... — resmungou Piolho, que quase fez Pimenta levar uma bronca por gargalhar durante a aula.

— Mas tem muita água no mundo! Como é que pode acabar? — quis saber Peteca, alarmada.

— É que eu estou falando da água potável, Viviane. Você sabia que de toda a água existente no planeta 97,5% é salga-

A S.U.P.E.R. Gincana

da e apenas 2,5% é doce? E que só 0,4% dessa água doce é encontrada em rios, lagos e na atmosfera? A maior parte está em geleiras ou em regiões subterrâneas de difícil acesso. É por isso que a água potável é considerada um recurso escasso.

— Mas tem lugar no mundo onde a água doce já acabou? — perguntou outra aluna, preocupada com a questão.

— Existem regiões onde a falta d'água já atingiu, sim, índices críticos. É triste dizer isso, mas menos da metade da população mundial tem acesso à água tratada, o que resulta na morte de milhões de pessoas todos os anos devido às doenças que contraímos quando bebemos água contaminada. Infelizmente, enquanto uns têm tão pouco, outros têm tanto que até desperdiçam...

— E como a gente faz pra não desperdiçar água? — perguntou um aluno.

— Ah, era aí que eu queria chegar: vocês sabiam que na casa da gente o maior gasto de água é no banheiro? Um banho demorado, por exemplo, chega a gastar mais de 100 litros de água limpa! Tomando banhos mais curtos a gente economiza água.

— E se não tomar banho economiza mais ainda! — cochichou Piolho para Pimenta. — É que eu me preocupo com o meio ambiente, entende?

O professor continuou falando sobre a redução do consumo de água; cuidados simples como evitar o excesso de descargas no banheiro, não deixar torneiras ou mangueiras abertas, entre outras dicas fáceis para as pessoas fazerem em casa.

Os grupos começaram, então, a apresentar ao professor as ideias que haviam pensado para seus projetos. Princesa e

Peteca, como sempre, faziam parte do grupo formado apenas pelas meninas mais descoladas da sala. Avessa à fofoca, Pastilha preferia fazer os trabalhos em grupo com os meninos da Página Pirata.

Pedro adorou a ideia do grupo de Juliana: falar sobre alternativas para acabar com a seca nas regiões áridas do sertão nordestino. O professor achou o tema atual e pertinente. Surgiu, porém, um impasse: enquanto a maioria queria fazer um trabalho apenas com cartazes e desenhos, Paçoca insistia que seria importante fazer uma demonstração real de um conceito que não saía de sua cabeça nos últimos dias: uma máquina de fazer chover. O professor achou graça, mas conhecendo o potencial de seu aluno, deixou que ele explicasse o que tinha em mente.

— A minha teoria, professor, é que seria possível criar um mecanismo para bombardear a atmosfera com íons, que atrairão as moléculas de água e produzirão a chuva mesmo com tempo bom. Dependendo da potência do equipamento, poderíamos fazer isso até nos ambientes mais secos. Imaginem os benefícios que isso traria!

— Veja bem, Plínio, até onde eu sei, o que você está propondo não seria possível. Existem, sim, maneiras de se criar chuvas artificiais, mas elas envolvem usar aviões que "semeiam" gotas de água nas nuvens. Essas gotas se combinam com as gotículas que já estavam na nuvem fazendo ela "inchar" até chover. Só que não dá pra fazer isso com o céu estando limpo.

Paçoca e o professor continuaram debatendo, enquanto o restante do grupo tentava acompanhar o raciocínio dos dois. Até Pastilha já estava ficando irritada com a insistência do

A S.U.P.E.R. Gincana

amigo inventor e, por fim, acabou interrompendo a conversa, informando ao professor que a maioria do grupo preferia fazer apenas um projeto teórico mesmo e que isso já estava fechado, o que deixou Paçoca bastante contrariado.

Ao fim da aula, o menino gênio veio tirar satisfação:

— Não gostei da forma como você vetou a minha contribuição para o projeto, Ju.

— Ai, Paçoca, nem vem! Foi você quem começou a querer impor o *seu* projeto. Isso não é trabalhar em grupo.

— Ah, é? Pois então eu vou fazer o *meu* projeto sozinho. E além de ganhar o prêmio de melhor projeto ambiental daqui do São João, ainda vou ganhar o primeiro lugar geral na gincana. Quer apostar?

— Para com isso, vai. Você não precisa se mostrar, todo mundo na escola já conhece muito bem o seu potencial.

— Mas o professor Pedro disse que a minha máquina de fazer chover é impossível de dar certo e eu quero mostrar que ele está errado, nem que seja a última coisa que eu faça!

Pastilha precisou ser paciente para não se aborrecer de vez com o amigo.

— Tudo bem. Então faz essa sua bendita máquina, mas nós só vamos apresentá-la se ela funcionar direito, ouviu bem? Não quero correr o risco de dar tudo errado e o nosso trabalho ficar de fora da gincana por causa dessa sua teimosia.

— Mas, minha cara, é graças aos teimosos que a ciência evolui — disse o menino, com um sorriso largo estampado no rosto, antes de sair correndo para o recreio.

Juliana sacudiu a cabeça, achando graça. Ao perceber que todos os outros alunos já haviam deixado a sala, ela foi até Pedro, que arrumava suas coisas para sair.

— Professor, posso perguntar uma coisa?

— Claro, Juliana. É para isso que estou aqui.

— É que a minha pergunta não tem nada a ver com Ciências. É uma pergunta... er... pessoal.

— Pergunta pessoal? — Pedro tentou disfarçar um sorriso.

— Sim. É que eu andei investigando e descobri que o senhor é ex-aluno do São João. E o técnico Chicão também, não é?

— Mas como você é danada, menina! Vai fazer uma matéria sobre a gente pra Página Pirata, por acaso? Posso trazer uma foto minha de quando era garoto, você quer?

— Ha, ha, ha! Não é nada disso... É só uma curiosidade mesmo.

— Sei, sei... — disse o professor, achando graça. — Bom, vou lhe contar então que é mais do que isso: eu e o Chicão éramos da mesma turma, amigos de infância. Fizemos faculdades diferentes, mas acabamos vindo dar aula aqui. Muita coincidência, né?

— É verdade! Vocês devem gostar muito do São João...

— Nossa, eu guardo lembranças incríveis daqui. Como ex-aluno e como professor.

— Puxa, que bacana — Juliana pigarreou, nervosa. — Bem... Acho que é melhor então eu ir direto ao ponto: é que como a gente vai participar da VI Gincana Interescolar da cidade e ela acontece a cada cinco anos... Calculei que você e o professor Chicão talvez tenham participado da 2ª edição. Estou certa ou será que viajei muito?

— Não, Ju, você está certíssima. Na época era um evento muito menor do que é hoje e envolvia apenas dois colégios: o São João e o... hum... Vitoriosos.

A S.U.P.E.R. Gincana

Pastilha notou o quanto a simples menção ao nome da escola rival pareceu incomodar seu professor, que fechou a cara. Ela entendeu que estava no caminho certo.

— Sei. E me diz uma coisa: qual foi a escola que ganhou a gincana no ano em que vocês participaram?

Pedro se mexeu na cadeira, sem saber disfarçar o quanto aquela pergunta o deixara incomodado.

— Quer dizer então que... Você não sabe?

— Não sei do quê?!?

Se existisse um aparelho capaz de medir a nossa curiosidade e ele estivesse ligado à Pastilha naquele exato momento, a máquina teria explodido.

— Nunca escutou comentários dos alunos que participaram da gincana anterior?

— Já saí perguntando por aí, mas todo mundo muda de assunto. Só percebi que os mais velhos parecem não estar nem aí para a gincana. Por que isso?

Pedro respirou fundo e falou, desanimado:

— Porque o Colégio Vitoriosos ganhou todas as edições da gincana interescolar até hoje.

— TODAS?!?

— Sim, Ju. Todas. Mas por favor, prometa que não vai sair por aí comentando sobre isso com seus colegas... Isso é um assunto meio polêmico aqui na escola. O diretor sempre pede aos alunos das turmas mais avançadas que não desestimulem os mais novos a participar da competição. Que bom saber que eles respeitam isso...

— Tudo bem, eu prometo ficar quieta. Mas por que esse tema é tão polêmico?

— É que, infelizmente, todos os que já participaram desse torneio sabem que a verdadeira disputa é pelo segundo lugar, porque o primeiro é sempre daqueles tratantes do Vitoriosos...

— Por que tratantes?

— Escuta, querida... — O professor passou a mão pelo rosto, sentindo que falara demais. — Não seria ético da minha parte sair fazendo acusações sem ter provas. Tudo não passa de desconfiança, sabe? Por favor, procure esquecer essa nossa conversa e continue sua preparação para a gincana. Só não crie grandes expectativas... Você pode acabar se frustrando, como aconteceu comigo e com o Chicão na época.

Pastilha engoliu em seco e lançou um olhar triste para seu professor.

— Credo, nem parece o senhor falando. Sempre me motivou tanto a dar o meu melhor nos meus estudos... E agora joga esse balde de água fria em mim.

— Como eu disse, esqueça essa nossa conversa. Um dia você vai entender que, infelizmente, existem injustiças contra as quais a gente não consegue lutar. Muito menos vencer.

A menina viu seu professor deixar a sala, cabisbaixo. Antes que ele descesse as escadas, gritou para ele:

— Mas vencer não é tudo, certo?

O professor parou e se virou, lançando um sorriso cativante.

— Exato. Guarde essa lição para a sua vida: dignidade não tem preço!

Juliana agradeceu a Pedro pelo sábio conselho. Sozinha na sala, ela logo se pôs a refletir acerca do que havia descoberto sobre as edições anteriores da gincana. Ainda sem saber direito o que fazer com aquela informação, a menina decidiu que manteria sua promessa e que não contaria nada a ninguém. Não queria abalar a confiança de seus amigos, que vinham se dedicando tanto aos preparativos para a gincana.

Agora, mais do que nunca, Pastilha queria trazer uma bela vitória para o Colégio São João. E faria de tudo para que fosse a primeira de muitas.

Capítulo 7
O Grito da Torcida

Faltando apenas uma semana para o início da gincana interescolar, o clima entre Pastilha e Princesa não poderia estar pior. Dezenas de alunos haviam enviado sugestões para o concurso que escolheria o melhor grito de torcida da escola. Coube a um júri formado por quatro professores selecionar os dez melhores, mas a decisão final para escolher o vencedor caberia aos alunos.

E aí é que estava o problema.

Para desgosto de Pastilha, tanto a frase dela quanto a de Princesa haviam sido escolhidas pela banca avaliadora. Aquilo já fora motivo suficiente para que a loura passasse a perturbá-la quase que diariamente, mas, para piorar ainda mais a situação, a garota mais popular do colégio dera início a uma grande campanha, mobilizando um exército de fãs para ajudá-la a vencer o concurso. Convocações haviam sido feitas através das redes sociais e compartilhadas à exaustão. Vídeos de Princesa apresentando seu grito de torcida foram postados em diversos blogs mantidos por alunos da escola. Um deles, o que colecionava o maior número de acessos, contava com uma versão do grito cantada por uma banda de garotos do colégio que, segundo as más línguas, recebera pelo "apoio" um cachê bem gordo da jovem milionária.

A S.U.P.E.R. Gincana

Em outras palavras, o grito "Ão, ão, ão... Ninguém segura o São João" liderava o boca-a-boca pelos corredores da escola. Os alunos inclusive já cantavam o brado por todo lugar em antecipação à proximidade da gincana, conferindo uma energia diferente ao colégio, onde já se respirava o clima de euforia e até de nervosismo característico de qualquer competição.

— Esse é o grito de torcida mais estúpido que já ouvi na vida! — reclamou Pastilha, que aguardava impaciente o anúncio da opção mais votada de dentro do laboratório de informática acompanhada por Paçoca, Piolho e Pinguim. — Ainda não consigo acreditar que um troço tão bobo tenha sido escolhido pela banca e, pior, que esteja fazendo todo esse sucesso aqui na escola! Estou até com enxaqueca...

— Fica calma, Pastilha — disse Paçoca. — Tirando o seu, os outros gritos de torcida selecionados também não são lá grande coisa, né? Imagino como deve ter sido difícil para o júri escolher os menos piores. Agora é aguardar o resultado da votação; deve sair a qualquer minuto...

— Eu não estou nem aí se o meu grito de torcida não for o escolhido. Duro mesmo vai ser ter que aturar a Princesa se ela ganhar. Vai ficar ainda mais insuportável!

— Bom, mesmo que você perca, saiba que *eu* ainda vou continuar achando o seu grito de torcida o mais bonito: "São João, São João, exemplo de honra e de sabedoria; aqui agimos com o coração!"

— Eu mandei várias sugestões, Paçoca. Essa aí nem foi a que eu gostei mais e... Piolho?!? O que é que você está fazendo aí no computador?!?

— Tô "baixando" umas músicas da internet. A conexão aqui na escola é *rapidona!*

— Você o quê?!? — A menina olhou para a tela horrorizada. — Baixando músicas da internet? Você não sabe que isso é ilegal, garoto? É pirataria!

— Mas eu não estou pirateando... Só baixando. Foi outra pessoa que pirateou.

— Mas quem baixa também está pirateando! Isso é um crime contra o artista que criou a música, nunca ouviu falar de direitos autorais, não? Você não pod...

— Shhhh!!! Calem a boca que o resultado sai daqui a qualquer momento — ralhou Pinguim, que não parava de apertar a tecla F5 do computador para recarregar a página do portal do aluno até que ela mostrasse o resultado do concurso.

Todos os computadores do laboratório estavam ocupados, os olhares grudados nos monitores. Nos corredores e no pátio também era possível encontrar alunos acessando o mesmo portal através de seus celulares, aguardando a liberação do resultado da votação.

De repente, gritos começaram a ecoar por toda a escola. Pastilha sentiu uma súbita falta de ar e precisou recorrer a sua bombinha para asma.

O grito de torcida de Princesa vencera por uma margem esmagadora, recebendo 92% dos votos. A editora-chefe da turma da Página Pirata mal pôde acreditar que fora uma das piores colocadas, tendo recebido apenas 3 votos. Aquilo lhe trouxe um gosto amargo à boca e a fez sentir o estômago revirar.

— T-três votos? Só três? V-você votou em mim, Piolho?

— Quem, eu? Ah... c-claro! Claro que v-votei em você!

— Nada d-disso! Q-quem votou em você fui eu! — corrigiu Pinguim, suando frio.

A S.U.P.E.R. Gincana

— Está na cara que nenhum dos dois votou em você — concluiu Paçoca, levando um safanão de cada um dos irmãos. — Quem será que foi o seu terceiro voto?

— Bom, isso não me interessa agora. Só sei que perdi. E perdi feio. Estou lascada, nem quero encontrar com a metida da Princes...

— Não quer encontrar com quem, Pastilhinha?

A garota mais popular da escola subira às pressas até o laboratório de informática com uma legião de admiradores que a carregava nos braços aos gritos de "É campeã!", Pimenta entre eles. Ela mandou que a colocassem no chão e então foi até a rival exibindo um largo sorriso. Peteca, que entrara na sala junto com o grupo, puxou a amiga pelo braço e cochichou em seu ouvido:

— Pega leve com a Ju, amiga...

— Me solta, Vivi. Me solta que essa aí merece ouvir...

— Mereço ouvir? — Pastilha se colocou de pé e cruzou os braços, encarando a rival com um ar desafiador. — Mereço ouvir o quê, madame?

— Não foi você quem duvidou da minha capacidade de criar o melhor grito de torcida, querida? O resultado está aí para quem quiser ver. Eu ganhei.

— Escuta, eu já tinha pedido desculpas a você por ter duvidado da sua capacidade; fiz um comentário infeliz e já reconheci isso. E agora te dou os parabéns pela sua conquista. Você fez uma propaganda e tanto.

— Propaganda? HÁ! Isso soa a recalque, lindinha.

— Isso soa a constatação, Princesa. O seu grito foi o escolhido porque você é a mais popular da escola. Quem sou eu pra questionar isso?

53

— Ah, mas ainda assim... Isso vindo de quem só recebeu três votos soa muito a recalque, né, pessoal?

Todos os fãs que rodeavam a garota responderam que sim e começaram a rir, debochando de Pastilha. Os únicos que não acharam graça foram Peteca e Pimenta.

— Já terminou, Princesa? — perguntou a ruiva, sem paciência. A dor causada pela enxaqueca piorou, mas ela se esforçou ao máximo para disfarçar. Aquela não era a hora de parecer frágil.

— Se eu já terminei? Que nada, estou só começando: tenho um novo desafio pra você: que tal a gente ver quem se destaca mais na gincana, amiga? Ver qual de nós duas é a melhor?

— Princesa, por que é que você insiste em competir comigo? Você é rica, popular, bonita... O que eu tenho que te incomoda tanto?

— Quem disse que você me incomoda, garota? Pirou, foi? — O rosto da jovem se fechou.

A S.U.P.E.R. Gincana

— Ué, mas então eu não te entendo; você vem até aqui fazer questão de esfregar sua vitória na minha cara, aí depois ainda quer me desafiar... Eu devo te incomodar de alguma forma, não? Fala o que é, agora eu fiquei curiosa.

Fez-se um silêncio no laboratório. Todos esperavam pela resposta de Ana Sophia.

Mas a resposta não veio. Princesa apenas engoliu em seco e destilou o veneno:

— Tem razão. Não temos que competir em nada. Já mostrei que sou a melhor.

— Então vai ser a melhor bem longe da minha cara, vai. Tenho mais o que fazer.

A garota mais popular da escola bufou, deu meia volta e saiu do laboratório sem dizer mais nada. Seus seguidores foram atrás dela, com exceção de Pimenta e Peteca. Ambos foram se desculpar com Pastilha pelo comportamento da amiga. Piolho, Paçoca e Pinguim também vieram apoiá-la.

— Gente, ninguém tem que me pedir desculpa por nada. Eu errei ao duvidar da capacidade da Princesa e agora ela vai pegar no meu pé. Ela é muito vingativa, já conheço bem o jeito dela.

— Ai, mas é que a gente é uma equipe! — reclamou Peteca, tentando não chorar. — Não gosto de ver ninguém da Página Pirata brigando...

— Eu sei separar o pessoal do profissional muito bem. O jornal é uma coisa e a amizade da gente é outra. No fundo, nunca considerei a Princesa minha amiga; ela é colunista do jornal e eu sou a editora-chefe. Eu dependo da popularidade dela e ela do espaço que dou a ela. É assim que vejo as coisas.

55

— Qual é, galera, não quero saber de climão, não! — protestou Piolho, dando um tapão na mesa e assustando todo mundo. — A gincana já está quase aí e a gente não pode começar a brigar. Foi só um grito de torcida, poxa! A gente tem que poupar energia é pra peitar a galera dos outros colégios; nesses é que a gente vai ter que enfiar o dedo no olho, puxar a cueca, dar peteleco na orelha... Tudo sempre levando na esportiva, é claro!

Todos acharam graça. Pastilha foi a única que revirou os olhos diante de tamanha bobeira, mas, por fim, também se entregou ao riso.

— E a gente também não pode esquecer que a feira de ciências já é depois de amanhã! A última etapa antes do início da gincana...

— É isso aí, Paçoca — apoiou Pinguim. — Depois de todo o trabalho que a gente teve até agora, é hora da gente focar na apresentação e torcer para que o nosso projeto seja um dos escolhidos. E o do grupo de vocês também, né, Peteca?

— Tomara, viu? Esse projeto ambiental está tão puxado... Sem falar nesse ritmo de treinos frenético. Eu já estou maluca!

Todos foram até a porta para deixar o laboratório. Pastilha sentiu alguém lhe puxar pelo braço e notou que era Pimenta. O amigo lançou um olhar fraternal para ela e perguntou:

— Você *tá* bem mesmo, Ju? Não foi nada legal o que a Princesa fez.

— Estou sim, Beto. Eu não ligo pra ela. O que vem de baixo não me atinge.

— Só queria te dizer que eu votei no seu grito de torcida. Achei que fosse gostar de saber...

A S.U.P.E.R. Gincana

— Você v-votou em m-mim? — Pastilha sentiu o rosto corar. — Mas você adora a Princesa... Por que fez isso?

— Porque eu já sabia que ela ia ter muito votos. *Tava* meio que na cara que ela ia ganhar, né? Mas eu queria que o meu voto fizesse a diferença, sabe?

Juliana sentiu a enxaqueca desaparecer como num passe de mágica.

— Pode ter certeza de que o seu voto fez toda a diferença, Beto...

Os dois trocaram sorrisos e foram atrás dos demais sob os gritos de "Ão, ão, ão... Ninguém segura o São João!". O canto vinha de todas as direções, sendo entoado por todo o colégio como se fosse uma espécie de mantra.

A expectativa entre os alunos mais jovens em torno da gincana interescolar chegara a níveis estratosféricos. Já os mais velhos continuavam a ignorar o assunto, como se nada demais estivesse acontecendo na escola.

Capítulo 8
O Projeto Chove-Chuva

A feira de ciências foi um grande sucesso de público na manhã do dia seguinte. Não era para menos: tratava-se da última etapa de seleção antes do início da gincana interescolar.

O professor Pedro conduzia os jurados pelos corredores da exposição. Eles ouviam com atenção às explicações de cada grupo a fim de escolher os três projetos ambientais que representariam o São João no torneio.

O grupo formado por Princesa, Peteca e mais três amigas apresentava seu projeto aos avaliadores. Tudo dando errado. Na mesa ao lado, Pastilha e seu grupo acompanhava a demonstração em pânico, pois seriam os próximos a falar. Apenas Paçoca se mostrava confiante.

Ao final da apresentação, as garotas foram bombardeadas de perguntas que não souberam responder direito. Muito nervosas, logo perceberam que não havia qualquer chance de terem seu projeto escolhido.

Preocupada, Juliana olhou para os cartazes preparados por seu grupo e concluiu que estavam fritos. Outros grupos haviam preparado projetos bem mais interessantes, com maquetes, atividades interativas, vídeos, entre outras coisas mais atraentes do que meros cartazes.

A menina engoliu em seco e encarou Paçoca, que apenas lhe sorriu de volta, com seu semblante inabalável. Para

A S.U.P.E.R. Gincana

ela, a única esperança de terem seu projeto escolhido para a gincana repousava agora numa parafernália qualquer que o menino gênio insistia em manter coberta por um pano preto e cujo funcionamento era desconhecido até mesmo por seus colegas. Todos queriam saber do que se tratava o tal segredo, mas Paçoca insistiu que o fator surpresa era fundamental para deixar sua apresentação mais impactante. E, assim, não restava mais nada que pudessem fazer além de torcer para tudo dar certo.

Quando o professor Pedro chegou com os avaliadores, os membros da Página Pirata sentiram calafrios. Todos olharam para Pastilha, implorando para que ela apresentasse sozinha a parte teórica do trabalho, cujo tema eram as alternativas para se acabar com a seca nas regiões áridas. A menina respirou fundo e se pôs a apresentar os cartazes, tentando ignorar a dor de estômago que estava sentindo.

Juliana iniciou sua fala listando as principais causas naturais da seca no nordeste, especialmente na área conhecida como o "Polígono das Secas", com suas temperaturas muito elevadas e poucas chuvas durante o ano. A menina explicou de que maneira a falta d'água deixava o solo dessa região seco e rachado, dificultando a agricultura e a criação de animais e levando quem mora lá a fugir da seca ou ficar para enfrentar a fome e a miséria.

Adotando um discurso firme, Pastilha foi se soltando. Dali a pouco havia uma multidão ao redor da mesa, atenta a cada palavra sua. Juliana passou para a apresentação dos cartazes, mostrando algumas das alternativas que reduziriam o impacto da seca. Inflamando de vez sua fala, lembrou que o poder público vinha fazendo muito pouco para promover o desenvolvimento sustentável da região, e que era dever dos governantes investir na construção de cisternas, poços e açudes, além de sistemas eficientes de irrigação aos quais todos os agricultores tivessem acesso e não apenas alguns poucos. Por fim, lembrou que os moradores do sertão não poderiam depender para sempre dos programas assistenciais.

— Não basta o governo reembolsar esses agricultores pelas safras perdidas com a seca e nem distribuir caminhões-pipa. O que essas pessoas precisam é de uma infraestrutura permanente que leve água a todos! Isso sim vai permitir que as plantações e os animais sobrevivam na região durante os longos períodos de falta de chuva.

Tendo concluído a apresentação do último cartaz, Pastilha apanhou um copo cheio d'água que estava sobre a mesa e o bebeu inteirinho, num gole só. Ela então amassou o plástico e perguntou ao público, em tom desafiador:

— Todos nós temos o direito à água, não? Por que para quem vive no Sertão tem que ser diferente?

Ao final da apresentação fez-se um breve silêncio. Pessoas na plateia engoliram em seco, refletindo sobre aquelas palavras. Um dos avaliadores limitou-se a dizer:

— Isso é tudo?

Por um instante Juliana desejou que a terra a engolisse. Se a fala que ela tanto havia ensaiado não fora boa o bastante para convencer o júri, não havia mais o que ela pudesse fazer.

Foi então que Paçoca pigarreou e pediu a atenção dos professores.

— Pois bem, o discurso da minha colega é muito bonito, mas eu acho mais fácil fazer chover no Polígono das Secas do que esperar que o governo resolva esse problema, que já se arrasta há anos.

A plateia riu. Pastilha cruzou os braços, contrariada. O pequeno cientista pediu a Pimenta que retirasse o pano que cobria o tal objeto misterioso. E eis que um aparelho todo pintado de azul do tamanho de uma torradeira foi revelado ao público. Da parte de cima desse dispositivo saía um tubo grosso que lembrava o apito de uma fábrica. Botões coloridos revestiam as laterais daquela coisa e na frente estava escrito "Chove-Chuva".

Tentando disfarçar o nervosismo, o pensamento dos demais membros do grupo era um só: "O que será que essa geringonça faz?"

Paçoca sequer perdeu tempo tentando explicar a tecnologia por trás do funcionamento da máquina. Simplesmente digitou uma sequência complicada de comandos e o aparelho começou a emitir um chiado. Com mais alguns ajustes, o som se tornou mais intenso e um estranho fenômeno ocorreu: do tubo no topo do aparelho saiu um vapor branco que pairou no ar e formou uma graciosa nuvenzinha acima de suas cabeças. O público vibrou com aquilo e bateu palmas. Até Pastilha teve que dar o braço a torcer e reconhecer que o feito era sensacional.

Mas a demonstração não parou por aí. Paçoca pediu a todos que se afastassem um pouco e pressionou mais algumas teclas. Um raio foi disparado do tubo até a nuvem, que se tornou cada vez mais escura e ameaçadora. Ela emitiu um brilho rápido, tal qual o *flash* de uma máquina fotográfica. O brilho foi acompanhado por um som um tanto assustador.

Sim, a pequenina nuvem se transformara numa mini--tempestade. Após emitir mais alguns raiozinhos e trovõezinhos, a formação de gás se precipitou no formato de uma forte chuva. Enquanto a água caía aos pés dos avaliadores, o público em volta aplaudia. O espetáculo durara poucos minutos, mas encantara a todos, principalmente ao professor Pedro, que olhava assombrado para seus alunos.

Paçoca desligou a máquina e concluiu a apresentação:
— Nossa proposta é que se construa uma versão cem vezes maior do Chove-Chuva para fazer chover a qualquer momento sobre o Sertão, acabando de uma vez por todas com o problema da seca por lá.

Estupefatos, os jurados agradeceram a apresentação e imediatamente se reuniram para discutir o que haviam acabado de presenciar ali. O professor Pedro fez um sinal de positivo para a turma, sorrindo um sorriso largo que mal cabia em seu rosto. Momentos depois a banca parabenizou o grupo e informou que, por unanimidade, o projeto Chove-Chuva já era um dos selecionados para representar o colégio São João na gincana.

Pastilha e os demais vibraram de alegria. Pimenta, Pinguim e Piolho levantaram Paçoca e o jogaram para o alto seguidas vezes, deixando-o ainda mais envergonhado. A única que se mostrou descontente com a seleção do projeto rival foi Princesa. Irritada, a loura esperou os professores irem embora para poder encarar os colegas de jornal e soltar o verbo:

— Da próxima vez quero ficar no grupo do Paçoca também... Assim não vou precisar fazer nada e o meu projeto ainda vai ser eleito o melhor da escola!

Antes que os demais pudessem argumentar, o pequeno inventor tratou de dar uma resposta à altura:

— Desculpa, mas sou *eu* que escolho com quem vou fazer os meus trabalhos.

A jovem milionária fez cara de ofendida enquanto Pastilha, Pinguim e Piolho tentavam segurar o riso. Furiosa, Princesa convocou Peteca e as outras meninas de seu grupo e deu as costas para o resto da turma, desaparecendo de vista.

— Caramba, Paçoca, não precisava ter falado desse jeito com ela...

— Ah, Pimenta, ela teve o que mereceu! — protestou Pastilha. — Deu a entender que não fizemos nada e que o nosso projeto só foi escolhido graças ao Paçoca...

— Ué, e não foi? — perguntou Piolho, coçando a cabeça.

— Mas é claro que não! Pesquisei à beça para apresentar tudo sozinha. Eu já sabia que não poderia contar com vocês para fazer isso, né?

— Agora você é que está sendo injusta, Ju. Todo mundo pesquisou para esse projeto e você sabe muito bem disso — lembrou Pinguim.

— É sério que a gente está brigando? — ironizou Paçoca. — Acabamos de ter o nosso projeto selecionado para o torneio! Nós temos é que comemorar!

— E só de pensar que vamos passar três dias sem ter aula... É como um sonho!

— Isso, Piolho, fica aí pensando que vai ser fácil, fica. Mal tenho conseguido dormir com medo do que vem por aí...

— Relaxa, Pastilha — disse Pinguim, pousando a mão no ombro da amiga. — É só uma gincana! Se a nossa escola ganhar, vai ser muito maneiro. Mas se a gente não ganhar, também está tudo bem. Afinal, o que pode dar errado, não é?

Capítulo 9
O Colégio Vitoriosos

O evento de abertura da VI Gincana Interescolar de Vale Prateado estava programado para o fim da tarde de uma quarta-feira, com as competições acontecendo ao longo dos três dias seguintes, terminando num sábado. Já a sede do torneio, o Colégio Vitoriosos, ficava no coração do bairro mais nobre de Vale Prateado, residência de artistas e empresários.

A mansão dos pais de Princesa ficava a pouco mais de duas quadras do Vitoriosos. Só que mesmo morando tão perto, Ana Sophia fez questão de pedir aos pais que a levassem ao evento de limusine para "causar uma boa impressão", segundo ela. Seu plano, porém, foi por água abaixo: ao se deparar com a enorme fila de carrões importados na frente do colégio, a jovem se deu conta de que a limusine do pai mais se parecia com uma carroça antiquada se comparada a todas aquelas máquinas possantes. A garota tratou de descer do automóvel arrastando os pais com ela e deu ordem para que o motorista sumisse dali. Princesa só conseguiu se acalmar ao se ver dentro da famosa escola, vislumbrando todo o luxo que havia em cada detalhe arquitetônico.

Qualquer pessoa, ao pisar pela primeira vez nos jardins do Colégio Vitoriosos, experimentava a mesma sequência de sensações: primeiro, o fascínio frente à beleza extraordinária do lugar; depois, o sentimento de inferioridade diante das dimensões colossais das construções que formavam o campus. Tudo ali era grandioso: desde as flâmulas douradas, que balançavam ao vento e exibiam com imponência o símbolo da escola – um dragão de três cabeças –, ao extenso corredor ao ar livre formado por dezenas de estátuas dos ex-alunos que mais se destacaram em suas carreiras e se tornaram personalidades influentes da sociedade brasileira. Estavam ali representados juízes, promotores, diplomatas, empresários, políticos, entre muitos outros cargos de poder.

A escola era cercada por grades altíssimas, douradas e impecavelmente limpas. O prédio principal, em estilo neogótico, lembrava um grandioso castelo. A fachada era decorada

A S.U.P.E.R. Gincana

com vitrais coloridos e estátuas clássicas, posicionadas de maneira harmoniosa e elegante. Um pomposo jardim contornava o pátio central e, no meio deste, havia um enorme lago decorado com um chafariz dourado que fazia a água subir uns quatro metros.

Mas, sem dúvida, era o ginásio da escola a edificação que mais saltava aos olhos dos visitantes naquele fim de tarde. Era para lá que se dirigiam as famílias que queriam garantir os melhores lugares para a cerimônia de abertura do torneio. Não é exagero dizer que o local onde aconteceria a maior parte das competições esportivas era quase como um Coliseu[1] em miniatura, o que dá a exata dimensão do quão estupidamente grande – e deslumbrante – era a construção.

À medida que os alunos das outras três escolas participantes do torneio chegavam, a atmosfera elitizada do Colégio Vitoriosos ia, aos poucos, dando lugar à empolgação e à bagunça desenfreada. Os jovens falavam pelos cotovelos, cantavam os gritos de torcida de suas escolas, corriam pelos jardins e interagiam uns com os outros, a fim de fazer novas amizades. Não era diferente com os membros da turma da Página Pirata: lá encontraram vizinhos e conhecidos que estudavam nas outras escolas e foram logo trocando provocações, comentando que até sábado seriam todos "rivais". Tudo sempre em clima de festa, é claro.

Os anfitriões, contudo, lançavam olhares de reprovação aos adversários. Tanto os estudantes do Vitoriosos quanto seus familiares mostravam-se indignados com toda aquela baderna nos jardins de sua escola. Pimenta, Piolho e Pinguim já haviam percebido isso e faziam questão de colaborar com o

---

1 . *O Coliseu é um grandioso monumento da Roma Antiga, onde lutavam os gladiadores.*

fuzuê, correndo de um lado para o outro na brincadeira de pega, ameaçando dar trombadas naqueles esnobes e desviando só no último instante. Aquilo rendeu boas risadas ao trio.

As famílias chegavam com sacolas carregadas de alimentos, brinquedos e agasalhos para serem doados, conforme os organizadores da gincana haviam solicitado. A equipe da Página Pirata tivera a ideia de entrar em contato com lojistas oferecendo publicidade em seu jornalzinho em troca de doações. A iniciativa dera ótimo resultado, levando o diretor Roger a vir parabenizá-los pessoalmente, dado que o volume de mantimentos arrecadado pela escola superara todas as expectativas. Mesmo assim, Pastilha engoliu em seco ao ver que a pilha de doações do São João não chegava nem perto da montanha que o Colégio Vitoriosos havia arrecadado de seus alunos. Pinguim, ao perceber o quanto aquilo deixara sua amiga transtornada, cochichou em seu ouvido:

— Sorte que as escolas não estão competindo pra ver qual delas consegue arrecadar mais doações, senão já era...

— Oi, amores! — disse Princesa ao se juntar ao grupo.

— Você mora logo ali e foi a última a chegar. Essa foi boa! — brincou Pinguim, arrancando risos dos colegas.

— Um atraso calculado — devolveu a jovem. — Muito lindo esse lugar, não é?

— Lindo? Isso aqui é o paraíso! — disse Peteca, encantada. — Já viram as quadras esportivas? E o que é aquele ginásio? Parece até um estádio, de tão grande!

— Esse Vitoriosos é demais mesmo! — concordou Pastilha. — Sinto como se uma coruja tivesse acabado de entrar pela minha janela com uma cartinha me convidando para ir estudar em *Hogwarts* [2]!

----

2 . *A escola de magia da série Harry Potter.*

A S.U.P.E.R. Gincana

— Só que nessa escola a "magia" é feita de dinheiro — detonou Piolho, no auge de sua sinceridade. — Mal cheguei e já estou irritado com o nariz em pé da galera que estuda aqui... Só tem almofadinha!

— Também não *tô* curtindo isso aqui, não — disse Pimenta, irritado. — Tem gente olhando pra mim como se eu fosse de outro planeta! Parece até que nunca viram um pretinho que nem eu aqui dentro...

— Ai, credo, Beto! — irritou-se Peteca. — Nada a ver isso que você disse! Com certeza, numa escola de nível como essa, não existe preconceito...

— Mas será possível? Como é que os seguranças deixaram esse pivete entrar aqui?

A turma deu meia volta e se deparou com Caio e Felipe Dante, os famigerados gêmeos que haviam conhecido no aniversário de Princesa. Ambos usavam os elegantes uniformes do Colégio Vitoriosos, que incluíam calças sociais, gravata, colete e paletó com o dragão de três cabeças estampado no peito.

— O que foi que você falou? — exigiu saber Pimenta, que ainda não havia se esquecido da maneira rude que os ricaços haviam lhe tratado na festa.

— Eu perguntei como é que você conseguiu entrar aqui no Vitoriosos, moleque — falou Felipe. — Esse lugar não é pra gente da sua laia frequentar, não!

Pinguim e Piolho precisaram segurar Beto com toda a força que tinham. O rapaz mandou que o soltassem, dizendo que ia arrebentar a cara dos gêmeos. Estes acharam a maior graça, mas suas risadas foram logo interrompidas pelas palavras de Pastilha:

— Ele não só vai frequentar essa escola nos próximos dias como ainda vai humilhar vocês dois no futebol na frente de todo mundo, igual foi lá na festa da Princesa. Vai ser lindo!

Os irmãos Dante cerraram os punhos. Tiveram vontade de dar uma lição naquela garota desaforada, mas havia muita gente ao redor e aquilo certamente lhes traria sérios problemas.

— Como você sabe que eles estão no time de futebol do Vitoriosos, Ju? — quis saber Peteca, surpresa.

— Corri atrás da escalação para a matéria da Página Pirata que estou escrevendo. Uma repórter precisa ter suas fontes — explicou a menina.

— Vamos ver quem vai levar a melhor nessa gincana, pirralha — desafiou Felipe, seus olhos pegando fogo.

— Vocês não fazem ideia do problema que arrumaram vindo até aqui, seus otários! — completou Caio. — Deviam ter ficado lá naquela escolinha medíocre de vocês. O Vitoriosos vai massacrar as outras escolas em todas as modalidades da gincana, vocês vão ver só! Em todas as edições do evento foi assim e esse ano não vai ser diferente.

Ao ouvir aquilo, Pastilha suspirou. Sabia o que viria a seguir.

— Do que é que você *tá* falando, seu mané? — quis saber Pimenta, já muito invocado.

— Ah, então vocês não sabiam? Aposto que os professores daquela escolinha fajuta nem devem ter coragem de contar a verdade: que o São João é o maior freguês do Vitoriosos. É sempre o vice na gincana interescolar! Ha, ha, ha, ha...!!!

Todos os membros da turma da Página Pirata engoliram em seco, com exceção de Juliana, que se mostrou firme e inabalável. Piolho percebeu aquilo e questionou a amiga:

A S.U.P.E.R. Gincana

— Você sabia disso, Ju? Por que não contou nada pra gente?

— Achei que não valia a pena. Além do mais, sempre existe uma primeira vez para tudo. E esse me parece ser um ano muito bom para mudar a história e tirar o risinho da cara de uns certos "filhinhos de papai" metidos à besta...

Os irmãos Dante ameaçaram bater em Pastilha, mas Pimenta logo se colocou no caminho, fazendo cara feia e bufando feito um urso selvagem. Os gêmeos recuaram, cheios de medo. Olharam para os lados e tiveram que aguentar os risinhos debochados dos próprios colegas de escola. Os dois garotos estavam prestes a sair correndo, mas desistiram ao ouvirem uma discussão se formar ali perto, o que acabou desviando a atenção de todos.

— Retire o que disse agora, seu...

A briga envolvia os professores Pedro e Chicão e outros dois homens. Um deles era o já conhecido pai dos gêmeos, o tal empresário bigodudo que vinha fazendo negócios com o pai de Princesa. Não demorou para que a turma concluísse que o quarto brigão era o professor de Educação Física do Colégio Vitoriosos, conhecido como técnico Muralha, um sujeito que era só músculos e cara de mau.

— Essa é boa... — disse Muralha, debochado. — A gincana mal começou e esses dois aí já estão com medinho de perder de novo! Isso é algum trauma, é?

O diretor Roger veio correndo saber o que estava acontecendo ali, já pedindo calma aos professores de sua escola. Chegou acompanhado das diretoras dos colégios Estrela Azul e Riso Feliz, que cobraram explicações sobre o comportamento infantil daqueles homens. Havia uma multidão de gente ao redor tentando entender a situação.

— Roger, Roger... — falou o bigodudo, cheio de si. — Acho bom você controlar os ânimos desses seus funcionários. Aqui na minha escola eles não mandam nada!

— Como é? — sussurrou Paçoca para Pastilha, deixando cair no chão o sorvete que estava tomando. — Ele disse "minha escola"? Mas isso quer dizer então que...

— Que aqueles gêmeos enjoados são filhos do diretor do Vitoriosos. Isso é absolutamente inacreditável...

— Você sabia disso, Princesa?!?

— Claro que não, Peteca! Meu pai nunca comentou nada sobre esse cara comigo... Só vi os dois juntos algumas vezes e sempre falando de negócios. Mas agora eu me apaixonei ainda mais por aqueles gêmeos! Hi, hi, hi...

— Ai, eu também, amiga! Imagina, pra ser dono de tudo isso aqui o pai deles deve ser um dos homens mais ricos do Brasil. Talvez do mundo!

— Pois é um mal educado! — cortou Pinguim. — Olha só como ele fala com o diretor Roger... O cara se acha!

A discussão entre os diretores das quatro escolas começava a chamar a atenção de mais pessoas. Agora a situação se invertera: eram os professores que pediam calma a seus respectivos chefes.

— Magno Dante, não admito que use esse tom para falar com os funcionários da minha escola! — ralhou o diretor Roger, olhando feio para o dono do Vitoriosos. — Estamos aqui honrando o convite que nos foi feito para participar da gincana e o mínimo que esperamos é sermos tratados com respeito.

— Eu lhes garanto que serão todos tratados com a máxima cortesia. Porém, sou testemunha de que seus funcio-

A S.U.P.E.R. Gincana

nários ofenderam um professor da minha escola. Não posso ficar calado diante disso.

— Mas foi ele quem provocou a gente primeiro! — acusou Pedro, indignado, apontando para o técnico Muralha.

— Mas eu só perguntei se vocês estavam preparados pra perder de novo esse ano! Foi só uma brincadeira... Já deviam estar até acostumados!

— O objetivo maior dessa gincana nunca foi a vitória — a diretora do Estrela Azul fez questão de lembrar.

— Exato! — concordou a diretora do Riso Feliz. — O evento visa promover o convívio entre os alunos, celebrar o conhecimento e o esporte. Todos aqui sabemos que o importante é competir. E é isso o que pregamos nas nossas escolas.

— Lamento, meninas, mas não é isso o que ensinamos no Vitoriosos. Aqui não há lugar para perdedores e meus alunos sabem muito bem disso. Aqui é vencer ou vencer.

— Não estamos aqui para discutir as metodologias de cada instituição, Dante — lembrou Roger. — Tudo o que peço é respeito de sua parte e da parte de seus professores.

— Respeito não se pede, meu caro, se conquista. E o histórico do São João nesse quesito não é dos melhores, não é? Afinal, cinco edições terminando a competição em segundo lugar? Isso afeta a auto-estima de qualquer aluno...

A provocação de Magno Dante fez os gêmeos darem muitas risadas, fazendo coro ao bando de alunos do Vitoriosos que estava por perto. Aquilo foi a gota d'água para Pimenta, que foi até o empresário sem demonstrar qualquer traço de intimidação.

— Não fala assim com o meu tio!

— Seu tio?!? Ah, agora está explicado... — falou Felipe Dante, rindo ainda mais alto, uma risada aguda e irritante.

— Com certeza! Quer dizer então que esse chato pobretão é sobrinho do dono dessa escolinha? — perguntou seu irmão, Caio, em tom de deboche. — Logo vi que um pivete feito você nunca teria condição de estudar num colégio com um mínimo de reputação. Não que o São João seja grande coisa...

— Veja lá como falam da minha escola ou eu parto essa careta de vocês ao meio e faço as duas mocinhas virarem quatro!

Os gêmeos engoliram em seco e recuaram diante do olhar furioso de Pimenta, indo se esconder atrás do pai e do técnico Muralha. O professor fortão bem que tentou intimidar Beto, mas o rapaz não recuou nem por um instante, ainda que fosse muito menor e mais fraco.

— Acho bom controlar esse seu sobrinho esquentado, Roger — disse o diretor Dante. — Quem ele pensa que é para ficar ameaçando meus filhos?

— Ele é aluno da minha escola e, nos próximos dias, será uma das suas maiores preocupações, Magno. Um grande talento no futebol e no desenho.

— Ah, mas para vocês ganharem do Vitoriosos no futebol vão ter que passar por cima dos meus filhos, Felipe e Caio. Certo, Muralha?

— Com certeza, diretor, eles são os maiores astros do nosso time!

— Como é? Esses dois pernas de pau que a gente detonou no churrasco da Princesa são os craques do seu time? — brincou Piolho. — Pffffff! Essa medalha já *tá* no papo!

A S.U.P.E.R. Gincana

O pai dos gêmeos cerrou os olhos e rebateu, ameaçador:

— Pois vamos ver como vocês vão se sair durante as competições. Só lhes digo uma coisa: não existe a menor chance de conseguirem colocar as mãos na taça que mandei fazer especialmente para essa edição da gincana interescolar. Minha escola sempre saiu vencedora do torneio e esse ano não será diferente!

O desagradável diretor ergueu a mão e apontou para um palco majestoso, montado bem no meio do trajeto que ligava os jardins da escola ao ginásio. Sobre essa estrutura estavam expostos quadros e gravuras de ex-alunos do Colégio Vitoriosos, além de muitas medalhas e troféus. Bem no centro, em maior destaque e protegida por uma redoma de vidro, havia uma taça dourada gigantesca que brilhava intensamente e que, de tão polida que estava, refletia tudo o que havia ao redor.

— Como podem ver, tenho tanta certeza de que o troféu será nosso esse ano que busquei patrocinadores para mandar fazer essa taça belíssima, toda feita em ouro puro. Ela ficará perfeita na sala de troféus da minha escola.

— Pra que gastar com essa excentricidade sem sentido, Magno? — questionou o diretor do São João. — As outras escolas concordaram com isso?!?

— Relaxe, Roger. Os patrocinadores dessa taça gloriosa são um grupo de pais de alunos do Vitoriosos. Assim como eu, todos têm certeza de nossa vitória e quiseram fazer uma bonita homenagem aos filhos.

Antes que qualquer outra coisa pudesse ser dita, uma voz reverberou por toda a escola, saída dos alto-falantes:

— Atenção a todos: a cerimônia de abertura da VI Gincana Interescolar de Vale Prateado terá início em meia hora. Os visitantes devem se dirigir ao ginásio. Os alunos de todas as escolas devem se apresentar a seus professores e se preparar para o desfile de apresentação das equipes.

O diretor Magno, seus filhos e o técnico Muralha se despediram dos jovens com risadas vilanescas e provocações. Desejaram boa sorte a todos, afirmando que eles iriam precisar.

— Agora é uma questão de honra a nossa escola ganhar essa gincana. Não vou dar esse gostinho a esses bobões! — disse Pastilha, indignada, sendo apoiada pelos demais.

— Fiquem calmos — pediu o diretor Roger. — Chegamos até aqui de cabeças erguidas e sairemos da mesma maneira, não importa o resultado.

— Bom, eu não vou achar nada ruim ver aqueles gêmeos lindos ganhando no futebol...

— Princesa?!? De que lado você está, afinal? Do São João ou do Vitoriosos? — irritou-se Pinguim.

— Do lado que tiver menino gato. E vamos combinar que isso não é o forte do São João. — A jovem milionária se virou para o técnico Chicão e perguntou: — E aí, *prô?* Já tá na hora de euzinha carregar a bandeira da nossa escola? Quero *causar* na abertura dessa gincana! Fiz escova no cabelo e tudo...

— Tenho certeza de que você vai brilhar, Ana. Vamos lá, garotada: está na hora de todo mundo fazer bonito nessa cerimônia de abertura!

— Ah, se é pra fazer bonito ainda bem que fui eu que ganhei o concurso do grito de torcida, né? Imagina só a Juliana

A S.U.P.E.R. Gincana

levando a bandeira da escola com essa cara de doente. Não ia rolar! Hi, hi, hi...

Antes que Pastilha tivesse tempo de protestar, Princesa e Peteca já tinham saído correndo rumo ao ginásio, soltando gritinhos histéricos, como se estivessem chegando para assistir o show de alguma banda famosa.

— Puxa, com amigas que nem essas duas... Quem precisa de inimigos?

— Ah, deixa elas pra lá, Pinguim — disse Pastilha, inabalável. — Vamos logo para o ginásio, pessoal. O desafio pra valer começa amanhã. Hoje é só festa!

— Assim espero! — falou Piolho. — Afinal, a gincana nem começou e o clima já *tá* mais pesado que o Paçoca!

— Ei!

O gordinho saiu correndo atrás do amigo, que foi se enfiar no meio da delegação do Colégio São João, que já se preparava para fazer sua entrada no ginásio.

Capítulo 10
Que Comecem Os Jogos!

As delegações das quatro escolas aguardavam do lado de fora do ginásio, que parecia prestes a explodir com o barulho que vinha lá de dentro. Canhões de luz iluminavam aquele começo de noite enquanto os auto-falantes tocavam a fanfarra que anunciava a abertura da competição.

O técnico Chicão entregou a bandeira do Colégio São João à Princesa, que a desenrolou e a ergueu para o alto, sob aplausos de seus colegas. A jovem rodopiou com o estandarte e fez questão de esfregá-lo na cara de Pastilha, que começou a espirrar com a poeira que desprendera do tecido. A jovem milionária gargalhou e foi lá para a frente da fila, onde ocuparia o lugar de maior destaque na entrada da delegação.

— Não liga pra ela, Ju — disse Paçoca, tentando animar a amiga.

Pastilha demorou algum tempo até conseguir responder. Sentia que aqueles espirros não iriam parar tão cedo.

— Aquela ali me paga. *ATCHIM!!!* Está se achando a maioral... Tomara que tropece na bandeira e caia de cara no chão na frente de todo mundo! *ATCHIM!!!*

— Bem que podia ter uma competição de melhor tombo, né? — brincou Piolho. — A gente já sairia na frente na disputa.

Pastilha soltou uma gargalhada, mas os espirros não a deixaram continuar.

A S.U.P.E.R. Gincana

Os auto-falantes anunciaram a entrada da primeira delegação. Os alunos do Centro Educacional Riso Feliz respiraram fundo e entraram no ginásio sob o som de aplausos e gritos entusiasmados. O grito da torcida deles dizia: *"O estudo nos engrandece, a amizade nos fortalece. Riso Feliz! Riso Feliz! Porque sorriso pede bis!"*

— Ai, os alunos dessa escola são uns fofos! — disse Pastilha. — Pena que, pelo que andei apurando, eles ficam em último lugar na gincana todos os anos. Por que será?

— Um vizinho meu estuda lá — informou Pinguim. — Ele é gente boa, mas até hoje não aprendeu a dar o laço no tênis e pede pra mãe. E ele tem 12 anos! Se todos lá forem assim...

O menino que levava a bandeira tropeçou no tecido e caiu no chão. Um aluno que vinha logo atrás rolou por cima dele e dali a pouco a delegação inteira do Riso Feliz desabava feito peças de dominó enfileiradas, arrancando risadas do público.

— É. Pelo visto a gente não precisa se preocupar com essa escola — disse Piolho.

O apresentador do torneio anunciou a segunda delegação. Os alunos do Colégio Estrela Azul, muito simpáticos e sorridentes, conquistaram o público, que cantou junto o refrão: *"Sede de conhecimento, fome de saber! A Estrela Azul brilha no céu e na Terra nos faz vencer!"*

— Nossa, amei esse grito de torcida! — confessou Pastilha, emocionada. — Diz bastante sobre a filosofia da escola! Muito melhor do que a desgraça que a Princesa criou...

— Tenho vários amigos que estudam no Estrela Azul — disse Piolho. — São gente boa. Aliás, a gente quase foi estudar lá, né, mano?

— Sim, é bem perto lá de casa. Mas a nossa mãe preferiu botar a gente no São João.

— Só sei que nessa escola só tem gato. Ô lugar pra ter menino bonito...

— Que papo é esse, Peteca? — quis saber Pimenta, intrigado.

— Ué, todas as meninas comentam isso na cidade! Não sei o que acontece, mas todos os meninos mais bonitos vão pra lá... Dá até vontade de pedir pra mudar de escola, hi, hi, hi...

— Então está explicado por que que a gente ia estudar lá, mano: porque é lá que estudam os bonitos. He, he, he... — brincou Piolho.

— Só que aí eles viram a cara de vocês e recusaram a matrícula! HA, HA, HA!!!

Pinguim e Piolho nem tiveram tempo de brigar com Peteca. O auto-faltante anunciou a entrada da delegação do Colégio São João e rapidamente o nervosismo tomou conta de todos. Lá na frente, Princesa ergueu a bandeira da escola bem alto e entrou no ginásio sob aplausos entusiasmados e o grito de torcida que ela mesma havia criado. O local parecia ainda maior do lado de dentro, com as arquibancada distribuídas em formato oval, exatamente como em um estádio. Ana Sophia não saberia descrever em palavras a emoção que se apoderou dela. Lágrimas lhe escorreram pelo rosto ao ouvir todos cantando: *"Ão, ão, ão... Ninguém segura o São João!"*

Só que o sonho da jovem logo virou um pesadelo.

Os torcedores do Vitoriosos – que eram a maioria – não perdoaram e começaram a vaiar, debochando do grito de torcida do São João e chamando-o de ridículo. Todos os olhares da arquibancada se voltaram para Princesa, identificada como a autora da frase por estar levando a bandeira da escola. A garota se sentiu envergonhada, tentando se esconder atrás do estandarte.

— Por essa a Princesa não esperava. E o pior é que eu também estou morrendo de vergonha desse nosso grito de torcida que não quer dizer nada... — confessou Pastilha.

— Ah, relaxa! — disse Pimenta, eufórico. — Não interessa o que os metidos dessa escola pensam. Olha pro nosso lado da torcida. Sente só como todo mundo adora a gente e *tá* cantando empolgado! O São João vai ganhar essa competição, você vai ver!

Juliana olhou ao redor e relaxou. As arquibancadas lotadas mostravam muitos rostos conhecidos: seus pais, professores, colegas de escola... Todos aplaudiam e vibravam, orgulhosos daqueles jovens que os representariam nos próximos dias.

Fez-se um breve silêncio. E, então, o locutor anunciou:

— *E agora, vamos receber a delegação do time da casa e cinco vezes vencedor da Gincana Interescolar de Vale Prateado: o Coléééégiooooo Vitorioooooooosooooos!!!*

O ginásio quase veio abaixo. Fogos de artifício explodiram no céu. A delegação entrou ao som do poderoso grito de torcida da escola: *"Melhores! Invictos! Soberanos! Avante, Vitoriosos: destinados a vencer, sempre!"*

— No grito de torcida deles faltou também: *"Se acham! Mimados! Sem noção!"* — comentou Piolho com os amigos, que caíram na gargalhada. Lógico que ninguém os escutou em meio à toda a algazarra que a enorme torcida do Vitoriosos fazia.

— Ah, essa não! Olha só pra isso, gente! Que coisa ridícula...

Pinguim apontou para os primeiros da fila da delegação do Vitoriosos. Eram os intragáveis filhos do diretor, ambos carregando o enorme estandarte da escola que também soltava fogos. Os alunos andavam com a cabeça erguida e avançavam como se estivessem numa parada militar, todos muito sérios e compenetrados. A formalidade também estava presente na forma como se posicionaram diante do público, formando um quadrado perfeito.

Pimenta notou quando um dos gêmeos mandou um beijo para alguém que estava ali no campo mesmo. Beto rapidamente localizou Princesa e a viu fazer um gesto com as mãos como se estivesse apanhando o beijo e levando ao coração. Aquilo fez o estômago do rapaz revirar.

A S.U.P.E.R. Gincana

— Bom, se esses alunos do Vitoriosos queriam causar uma boa impressão, falharam. São antipáticos toda a vida! — analisou Pastilha, fazendo careta de nojo.

— Pelo visto, eles fazem questão de ser esnobes — comentou Paçoca. — Assim que pus os pés aqui, passei a gostar ainda mais da minha escola.

Após a entrada da delegação do Vitoriosos, foi a vez da reluzente taça da gincana ser trazida por quatro alunos, um de cada escola. Colocaram-na num local de destaque, dentro do ginásio e bem à vista de todos. Só que aquela coisa era tão exageradamente grande e sem propósito que não foram poucas as pessoas na plateia que acharam graça do troféu, para irritação do diretor Magno Dante, que assistia à abertura dos jogos sentado na tribuna de honra acompanhado de algumas personalidades que ele próprio havia convidado.

A cerimônia foi interrompida por uma vinheta musical que reverberou pelo sistema de som do estádio. A turma já conhecia aquela melodia, mas não lembrava exatamente de onde. Foi Peteca quem a reconheceu primeiro:

— Essa não é a música que toca nos comerciais das lojas Ventura?

— A rede do pai da Princesa? — espantou-se Pastilha. — Nossa, agora que você falou... É verdade! Já vi o comercial na TV várias vezes.

— Eu sou super fã! Só compro meu equipamento de ginástica lá.

A música deu lugar à voz do narrador:

— *A rede Ventura é a patrocinadora oficial da VI Gincana Interescolar de Vale Prateado. Os melhores equipamentos para seu treino você encontra na maior cadeia de lojas de artigos esportivos da região. Ventura, a aventura de viver o esporte.*

— Ventura, patrocinadora oficial da gincana? Noooossa, que chique! — comemorou Peteca, boquiaberta. — A danada da Princesa nem comentou nada comigo...

Quando as luzes da tribuna de honra se acenderam, o diretor do Colégio Vitoriosos ficou de pé e anunciou ao microfone a presença de dois importantes convidados. Toda a turma ficou de queixo caído ao verem os pais de Princesa e Peteca ao lado de Magno Dante.

De longe, as duas amigas olharam uma para a outra, com os olhos quase saltando de tão arregalados que estavam. A jovem milionária estava tão surpresa quanto seus amigos, já que o pai não havia comentado nada sobre ser um dos patrocinadores do evento.

— Boa noite a todos. É com grande prazer que abrimos a sexta edição de nossa gincana interescolar anunciando essa importante parceria — falou o diretor do Vitoriosos, num tom pomposo. — E com prazer ainda maior informamos que o evento será palco do lançamento da nova linha de artigos esportivos da rede Ventura. Fábio, gostaria de falar um pouco sobre o apoio que a sua empresa está dando à nossa gincana e aos nossos alunos?

— Será um prazer, Magno. Em primeiro lugar, eu queria parabenizar a todos por essa celebração tão bonita da educação e do esporte, ambos igualmente importantes para os nossos jovens. Um torneio como esse derruba barreiras e promove a união, e, independente do resultado, no fim a vitória será de todos nós.

A S.U.P.E.R. Gincana

— Ih, se o pai da Princesa continuar falando bonito assim, já já o mala bigodudo vai tirar o microfone da mão dele! — brincou Piolho.

— Sim! Por divergência de pensamento... — completou Paçoca.

Fábio Ventura continuou a falar em tom de político em campanha:

— A rede Ventura, ciente da importância deste evento para os jovens de nossa cidade, doou todo o material esportivo que as equipes usarão nas competições de futebol, basquete, vôlei, natação e atletismo. Desde uniformes até tênis e chuteiras, tudo será equipamento de última geração, contando com uma tecnologia esportiva inovadora, fruto de muita pesquisa, chamada "Super", que só chegará ao mercado no ano que vem. Ou seja, vocês, jovens atletas de Vale Prateado, terão o privilégio de testar os nossos mais modernos equipamentos em primeira mão, antes mesmo dos maiores nomes do esporte desse país! Tudo assinado pela maior lenda do nosso atletismo: João Pedro Soares, o Janjão de Ouro!

O público na arquibancada vibrou ao ver o ex-atleta acenando para eles. Peteca chorou ao ver o pai sendo homenageado de maneira tão bonita. Fora pega de surpresa.

— Caras, vocês ouviram? A gente vai ganhar equipamento novo pro futebol! — comemorou Pimenta, dando soquinhos em Piolho e Pinguim.

— Show de bola, hein? — vibrou Zeca. — Não vamos mais ter que usar aquelas chuteiras detonadas lá do São João...

A cerimônia prosseguiu com breves discursos dos diretores das três escolas convidadas, que fizeram questão de passar mensagens bonitas para os alunos e seus familiares. O falatório deu lugar ao espetáculo quando se iniciaram os shows dos animadores de torcida. A ordem das apresentações das equipes havia sido definida por sorteio, sendo o Vitoriosos a primeira escola a se apresentar e o São João a última. Pois bem: se a equipe da escola que sediava o evento impressionou o público pela técnica e pela coreografia milimetricamente ensaiada, o time conduzido com maestria por Princesa conquistou a todos pela simpatia e pela naturalidade. Pimenta assistiu à apresentação de Ana Sophia de queixo caído, admirando a beleza descomunal da jovem. Mas ele não era o único. No meio do show seu olhar cruzou com o de um daqueles gêmeos arrogantes. Beto não sabia distinguir direito os irmãos Dante, já que para ele ambos tinham a mesma cara de pastel vencido, mas lembrou que na festa fora o tal Felipe quem ficara dando em cima de Princesa. Os dois esqueceram o espetáculo e ficaram se encarando na multidão, de longe, trocando olhares ameaçadores. Se estivessem perto um do outro, naquele momento, com certeza teria saído briga.

Ao final das apresentações foi a vez do diretor do Vitoriosos retomar a palavra. Ele faria agora o sorteio que definiria a ordem em que os times se enfrentariam nas competições esportivas por equipes. A agenda com os dias e horários da maioria das provas havia sido previamente divulgada, mas para as modalidades Vôlei, Futebol e Basquete o anúncio seria feito agora. Magno Dante, Fábio Ventura e João Soares retiravam os nomes das escolas de dentro de três urnas, uma para cada modalidade.

A S.U.P.E.R. Gincana

Foi assim que os alunos do São João descobriram que enfrentariam o time do Vitoriosos tanto no futebol masculino quanto no feminino já na manhã do dia seguinte. Pimenta voltou a olhar para onde os gêmeos estavam e viu que ambos o encararam de volta, exibindo sorrisos cínicos e fazendo pouco dele através de sinais. O rapaz devolveu as saudações com um gesto ameaçador, dando um soco na palma da mão e apontando para a dupla em seguida. Os dois almofadinhas engoliram em seco e trataram de desviar o olhar.

— Mas a gente tinha que começar enfrentando justamente o time da casa, que ganha sempre? A sorte está mesmo do nosso lado... — lamentou Piolho.

— Eu achei melhor — devolveu Pimenta. — Assim a gente já dá logo uma coça naqueles pernas de pau pra eles enfiarem o rabinho entre as pernas de tanto medo.

— Tomara — disse Pinguim. — Mas achei esses caras confiantes demais na vitória. Não gosto disso. Isso não é postura de quem joga pra competir, mas de quem está disposto a ganhar a qualquer preço.

— O que você quer dizer?

— Nada, não, Pimenta. Acho que é só maluquice minha. Deixa pra lá.

Ao final da cerimônia, os alunos deixaram o ginásio ainda em clima de festa e foram encontrar seus familiares do lado de fora. Os pais de Princesa, Peteca e Paçoca começaram um papo animado, comentando sobre a beleza da cerimônia de abertura e elogiando a apresentação de Ana Sophia, que não disfarçou a vaidade. Já a mãe de Piolho e Pinguim engatara uma conversa com os pais de Pastilha.

— E o seu pai, Pimenta? Ele não veio para a cerimônia? — perguntou Juliana.

— Er... não. Ele *tava* ocupado. Tinha serviço pra fazer.

— Que pena! Mas ele vem ver você jogar amanhã, não vem?

— Acho difícil. Esse serviço deve demorar ainda.

— Mas ele não virá assistir você jogar nenhum dia?!? — perguntou Paçoca, indignado. — Justo você, que é o astro do nosso time de futebol?

— Gente, deixa quieto. Eu não me importo. É sério!

Todos entenderam que o assunto incomodava o amigo e acharam melhor deixar pra lá. Pastilha então tratou de mudar o foco da conversa:

— E vocês, meninos, estão prontos para o jogo de estreia amanhã? Já vão enfrentar o Vitoriosos logo de cara...

— Ih, tranquilo — disse Beto. — Se todo mundo naquele time for tão ruim de bola quanto aqueles gêmeos bobalhões, a nossa vitória "já é"!

Capítulo 11
Concorrência Germânica

Na manhã seguinte a turma da Página Pirata chegou cedo ao Vitoriosos, mas nem se encontraram, pois foram para pontos diferentes do colégio. Pimenta, Piolho e Pinguim estavam no vestiário do ginásio ouvindo as palavras do técnico Chicão antes da estreia deles no futebol. Do lado de fora, já no gramado, Princesa se aquecia com os demais animadores de torcida, pois fariam sua estreia na gincana naquele mesmo jogo. Peteca fora para a quadra de vôlei se preparar para sua primeira competição do dia. Já Pastilha e Paçoca resolveram aproveitar o tempo livre antes da partida de futebol para conhecer um pouco mais a escola e dar uma olhada na exposição de projetos ambientais. Queriam analisar o nível dos projetos das outras escolas para poderem apurar quais eram as reais chances de ganharem aquela disputa.

Assim que entraram no prédio principal do Vitoriosos, Pastilha e Paçoca sentiram como se estivessem entrando em um castelo antigo, porém muito bem cuidado. O salão principal dava acesso a diversos corredores e uma imponente escadaria percorria os seis andares do edifício, que podiam ser perfeitamente vislumbrados por quem estava no térreo e olhasse para o alto, numa visão de tirar o fôlego. Estátuas de ex-alunos em poses excêntricas estavam espalhadas por todos os recintos. Até as tapeçarias nas paredes homenageavam pessoas que estudaram ali, narrando seus feitos e conquistas. Alguns dos salões eram verdadeiros museus, com exibições também focadas nos feitos de ex-alunos e professores.

— Nossa, que lugar lindo — comentou Pastilha.

— Lindo ele é... Mas sei lá. Não me sinto bem aqui.

— Sei o que você quer dizer, Paçoca. Esse lugar faz com que eu me sinta pequena.

— Bom, o que me interessa é saber onde está exposto o nosso projeto. O que diz aí no mapa?

Pastilha vasculhou o folheto que havia recebido na entrada da escola, que orientava os alunos participantes da gincana a se localizarem no Colégio Vitoriosos.

— Acho que a gente tem que seguir por esse corredor aqui.

— Brrr. Que medo, Ju! Olha só essas armaduras todas, parece que estão olhando pra gente...

— Credo, parece até filme de terror. Porque foram esconder a exibição dos projetos ambientais justo aqui? Desse jeito ninguém vem visitar!

Os dois caminharam por um longo corredor de paredes esculpidas em pedra. Não havia nada ali além de armaduras e algumas portas de madeira, sem qualquer sinalização. O silêncio e a pouca iluminação metiam medo.

— Tem certeza de que é aqui mesmo, Ju?

— É o que diz o mapa. É um salão no fim desse corredor.

— Vamos voltar? A gente assiste ao jogo de futebol e volta aqui mais tarde com o Pimenta.

— Deixa de ser medroso, Paçoca. A gente já está quase chegand...

NHEEEEEEEEC...

A S.U.P.E.R. Gincana

O ranger de uma porta se abrindo quase fez os dois se borrarem de pavor. Juliana e Plínio se abraçaram e só não saíram correndo porque suas pernas não respondiam mais.

— Oi, pessoal. Vocês precisam ver como a exposição está bonita!

O professor Pedro havia escutado os dois conversando no corredor e aparecera na porta. As crianças saíram correndo até ele, sentindo-se mais seguras. Ao entrarem no salão tiveram uma grata surpresa: era enorme e muito bem iluminado, com um teto todo feito em vidro, semelhante a uma estufa. Projetos desenvolvidos pelas quatro escolas já estavam expostos e devidamente identificados. Havia outros alunos por ali, arrumando pequenos detalhes em suas apresentações. Pastilha e Paçoca não demoraram a achar o projeto deles, que ocupava um lugar de certo destaque.

— Foi difícil, mas consegui botar o projeto de vocês aí, perto da entrada — disse o professor Pedro, orgulhoso de seus alunos. — Estão prontos pra fazer chover aqui dentro e vencerem essa gincana?

Paçoca e Pastilha riram alto, meio envergonhados com o elogio do professor. O menino gênio foi logo conferir se estava tudo em ordem com a máquina Chove-Chuva, enquanto Juliana tratou de verificar se os cartazes haviam sido fixados à parede na sequência correta. Tudo verificado, perguntaram a Pedro se ele iria assistir o jogo de futebol e se poderiam ir juntos para o ginásio. Na verdade, o que os dois queriam era companhia para voltar por aquele corredor sinistro.

— Claro que verei o jogo com vocês! Já terminei tudo por aqui.

O trio já estava de saída quando foram abordados por uma vozinha muito fina e séria, com forte sotaque estrangeiro. Pastilha identificou o sotaque como sendo alemão.

— Com licença, vocês *serr* as *rresponsáveis* por essa *prrojeta, ja?*

Eles se voltaram para o dono daquela voz engraçada e se depararam com um menino louro muito magrinho, pescoçudo, sardento e desengonçado. Ele vestia um jaleco branco e tinha os cabelos bagunçados. Não fosse tão jovem, pareceria ter saído de um filme de terror daqueles que têm um cientista louco que cria um monstro. Bem, esse menino seria o cientista louco, não o monstro. Não era feio a esse ponto.

— Fomos nós que fizemos esse projeto sim. Por quê? — quis saber Pastilha.

A S.U.P.E.R. Gincana

— Eu *querrerr conhecerr* o concorrência. Eu *serr* aluna da Colégio *Vitorriosos* e minha *prrojeto serr* também um máquina de *fazerr choverr*. *Ficarr curriosa parra saberr* como *serr* sua método. Se *quiserrem* eu também *poderr demonstrarr* meu invento e *ficarria* feliz em *verr* o de vocês funcionando, *ja?*

Paçoca e Pastilha trocaram olhares desconfiados. Em seguida olharam para seu professor, que se segurava para não rir da esquisitice do aluno do Vitoriosos. Por fim, concordaram em fazer uma demonstração. Plínio explicou um pouco sobre a máquina e logo se viu bombardeado por perguntas técnicas feitas pelo alemãozinho. Não demorou muito para que Pastilha desistisse de acompanhar a conversa. O professor Pedro ainda se esforçou um pouco mais, mas também se perdeu quando os dois pequenos cientistas começaram a entrar nos mais profundos detalhes científicos acerca do funcionamento da máquina Chove-Chuva. Nem vou me atrever a transcrever a conversa dos garotos aqui, pois ninguém entenderia nada.

Paçoca começou a se irritar com a insistência do outro em descobrir os segredos de seu projeto. Por fim, o rival simplesmente cruzou os braços e lançou o desafio:

— Eu *duvidarr* que esse seu máquina *funcionarr!* Só *acrreditarr* vendo...

Aquilo sim, tirou Paçoca do sério. O pequeno inventor nem pensou duas vezes: apertou um botão da Chove-Chuva e calou a boca do alemãozinho quando fez surgir uma nuvem que choveu bem ali no meio do salão, com direito a raios e trovões. Todos os alunos que estavam por ali pararam para ver, sem acreditar nos próprios olhos. Alguns alunos do Riso Feliz e do Estrela Azul simplesmente pegaram suas coisas e foram embora, já imaginando que jamais ganhariam aquela disputa competindo com algo tão incrível.

— *Impressionante,* seu máquina *funcionarr* de *verrdade.* Mas, infelizmente *parra* vocês, *nón serr melhorr* que minha *prrojeto.*

— Ah, é? E que tal mostrar o "sua *prrojeto*" pra gente agora? — provocou Plínio.

— *Porr* aqui, me *acompanharr, ja?*

O gênio alemão os levou até o centro da exposição, onde era mais iluminado. Seu projeto era o que ocupava o lugar de maior destaque.

— *Apresentarr* a vocês *"der Regenmacher",* ou a *fazedorr* da chuva, em *porrtuguês.* Ela *fazerr choverr* como sua *prrojeto,* mas *serr* muita mais eficiente.

— Ah, é? E por quê? — quis saber Paçoca, incrédulo.

— *Porrque "der Regenmacher" fazerr choverr* com a *poderr* do mente!

Houve um breve silêncio. E então veio uma explosão de gargalhadas vindas de todos os lados que deixaram o alemão-zinho inventor indignado.

— Do que vocês *rrirr? Nón caçoarr* de mim! Eu *serr* Otto Bengel, filha da *grrande inventorr* Hanz Bengel! Meu pai *serr* o *maiorr rreferrência* em pesquisa *sobrre* o *manipulaçón* via *contrrole* do mente, *ja?*

— E...? — disse Paçoca, fazendo pouco do alemão, que ficou mais vermelho que um tomate.

A S.U.P.E.R. Gincana

— E aí que minha *prrojeto serr superriorr!* Eu vai *mostrrarr* a vocês.

O pequeno Otto pegou parte de seu invento – que parecia uma espécie de tiara dourada – e pôs na cabeça. Pastilha, Paçoca e até o professor Pedro tiveram que segurar o riso, pois o garoto ficava muito ridículo com aquilo na cabeça, parecendo uma princesa feiosa. O garoto acionou com a voz a outra parte do dispositivo, uma máquina até muito parecida com a Chove-Chuva. Só que a dele brilhava e fazia alguns sons curiosos.

— Eu *comandarr* que *surgirr* um nuvem!!!

Tão logo o menino acabou de falar, formou-se uma pequena nuvem no meio da sala, saída de um tubo da máquina. Todos os que estavam ali acompanharam com interesse a apresentação, assombrados com o controle que o garoto mostrou ter sobre a tal nuvem.

— Eu *comandarr* que o nuvem ir *parra* o *direita!!!*

E a nuvem foi para a direita.

— Eu *comandarr* que o nuvem ir *parra* o *esquerrda!!!*

E a nuvem foi para a esquerda. Todos acompanhavam boquiabertos, até Paçoca.

— Eu *comandarr* que o nuvem *aumentarr* de tamanho!

E a nuvem cresceu e cresceu, e todos se afastaram um pouco, com medo do que poderia acontecer. Otto tinha os olhos saltados e as mãos erguidas para o alto, como se saboreasse o sucesso de sua apresentação.

— *Agorra,* eu *comandarr* que o nuvem *choverr!*

E se caíram uns cinco ou seis pingos de chuva daquela nuvem enorme, foi muito.

As gargalhadas foram tantas e tão altas que veio gente de fora do salão saber o que estava acontecendo ali dentro. Pastilha e Paçoca rolavam pelo chão, o que deixou Otto Bengel indignado.

— Por que vocês *rrirr* de mim? Meu invento *serr melhorr!* Muita *melhorr* que a desse escola *porrcarria* de vocês!

— Olha, o seu invento até impressiona... — explicou Pastilha, enxugando as lágrimas dos cantos dos olhos. — É bonitinho ver como você controla a nuvem. Achei fofo.

— *Was? Acharr* fofa? Só isso?

— Olha, o tema dos projetos é a água e não o controle das coisas com a mente — esclareceu Paçoca, enchendo a boca para falar. — E a sua máquina de fazer chover não faz chover, ela só faz pingar e olhe lá.

— Eu ainda vai *aperrfeiçoarr der Regenmacher!* Mas potencial *serr enorrme!* Muita melhorr que seu Chove-Chuva!!! Até nome *serr rridícula!*

— Bom, isso quem vai julgar são os avaliadores, não? — disse Pastilha. — Mas o Paçoca está certo: a sua máquina impressiona no que menos importa ao projeto, que é trazer uma solução para o problema da escassez de água. Por isso o nosso é melhor.

Os alunos das outras escolas pareceram concordar. O professor Pedro não quis se manifestar, mas sabia que seus alunos tinham razão. Aquilo deixou o pequeno Otto Bengel transtornado.

— *Nein... Nein!* Eu *precisarr serr melhorr! Precisarr serr orrgulho* do minha escola, da *dirretorr* e da minha "papá"!

O lourinho começou a chorar e saiu correndo do salão. Pastilha e Paçoca foram atrás dele, mas quando chegaram ao corredor, não o viram mais, ouviam apenas sua gritaria já bem longe dali.

— Eu, hein, que menino esquisito! — comentou Pastilha. — Bem, pelo menos agora a gente sabe que o nosso projeto é melhor que o dele. E, pelo visto, ele é a maior aposta do Vitoriosos nessa modalidade...

— E pelo que a gente analisou aqui olhando os outros projetos concorrentes...

— Essa medalha já é nossa, Paçoca! Toca aqui!

— Crianças, nada de comemorar antes da hora, ouviram bem? — ralhou Pedro, levando seus alunos para fora, longe da vista dos competidores das outras escolas. Ao chegarem no corredor, o homem se virou para eles e confessou, sorrindo: — Eu não podia admitir isso lá dentro, mas eu também acho que essa medalha já é de vocês!

As crianças acharam graça e comemoraram discretamente.

— Caramba, já está quase na hora do jogo dos meninos! Vamos logo!

Os três saíram correndo pelo corredor das armaduras. Na companhia do professor, aquelas coisas nem metiam mais medo.

Capítulo 12
Vitoriosos X São João

Enquanto o treinador Chicão e o auxiliar técnico repassavam as orientações ao time no vestiário, Pimenta só fazia olhar para o par de chuteiras que acabara de ganhar do patrocinador. Eram do tal novíssimo modelo "Super", que sequer havia sido lançado.

— Você está bem, Beto? — quis saber Chicão, falando em particular com o rapaz após ter encerrado o discurso para o time. — Vi que não prestou atenção em quase nada do que falei. O que houve?

— Desculpa, professor, mas é que... Eu nunca tive nada assim — Pimenta apontou para os pés. — Sério mesmo que a gente vai poder ficar com essas chuteiras depois que a gincana acabar?

— Sim, elas são um presente da Ventura para os atletas, assim como os uniformes. É tudo propaganda pra eles.

— Cara, que demais...

Chicão ficou algum tempo olhando para Pimenta, que só fazia alisar o calçado em seu pé como se fosse um tesouro. O técnico olhou para o relógio e viu que ainda tinham algum tempo antes de iniciarem o aquecimento.

— Sabe, Beto, quando eu tinha a sua idade eu também não tinha condições de ter as coisas. Meus pais eram pobres e eu só jogava bola descalço mesmo. Eu entendo o que você está sentindo agora...

Pimenta sorriu. O som da torcida lá fora ecoava dentro do vestiário, o que lhe causava arrepios. Ele encarou a faixa presa em seu braço, dada pelo técnico minutos antes, quando ele o nomeara capitão do time. Sentia como se aquela braçadeira pesasse uma tonelada.

— Beto, fique calmo. Vou te dizer uma coisa que eu aprendi: não é a chuteira ou o uniforme que fazem o craque. É o talento, o esforço e a dedicação que farão dele um campeão. Lembre-se disso quando estiver em campo liderando o nosso time, entendeu?

O rapaz fez que sim com a cabeça; o nervosismo lhe roubara as palavras. O técnico Chicão o chacoalhou de maneira afetuosa até que um novo sorriso brotasse em Pimenta. Foi então que o homem teve certeza de que o jovem estava pronto para brilhar.

— *Bora*, time! — gritou o treinador. — Hora de ganhar esse primeiro jogo!!!

Ao entrarem em campo para iniciar o aquecimento, os meninos do São João se sentiram a seleção brasileira de tão bonitos que estavam com aqueles uniformes – todos estampando o logotipo da Ventura. Foram recebidos com aplausos entusiasmados de sua torcida e também com muitas vaias da torcida do Vitoriosos, que lotava o ginásio.

Princesa puxou o grito de sua escola e comandou a equipe de animadores em uma linda coreografia de boas-vindas ao time. Pimenta bem que tentava se concentrar no aquecimento, mas ver Ana Sophia rodopiar com aquela sainha curta o fez desligar-se do mundo pela segunda vez naquele dia.

— Pensa rápido, Pimenta!

A bola acertou Beto no peito, fazendo-o ficar sem ar. O chute de Piolho arrancara risos dos outros garotos do time.

— Vê se esquece os "pom-poms" da Princesa e se concentra no jogo, rapaz!

Pimenta não achou graça da brincadeira. Constrangido, tentou evitar ficar olhando para as garotas dançando, mas sem muito sucesso.

O ataque do time do São João era formado por Pimenta e Marcus, um garoto baixinho e engraçado do oitavo ano. Mais atrás vinham os quatro meio-campistas, sendo que um deles era Piolho. Os dois zagueiros, Júlio e Tiago, pareciam armários de tão fortes. Os laterais, Rodrigo e Diego, estudavam na mesma sala do nono ano. No gol ficava um aluno que todos na escola conheciam como Girafa: nem tanto pelo fato de ser muito alto, mas por ter um pescoço que deixava a cabeça dele bizarramente distante do resto do corpo. Já Pinguim se lamentava por estar no banco. Sentia que seu lugar era em campo, junto com seus colegas.

O árbitro se dirigiu ao centro do gramado. O jogo estava prestes a começar.

Na arquibancada, Pastilha, Paçoca e o professor Pedro corriam para conseguir bons lugares, ainda comentando o encontro com o esquisito Otto Bengel. Quando finalmente conseguiram se sentar, Pedro puxou do bolso um papel com a tabela que mostrava os dias e horários de todas as competições da gincana. Voltaram a atenção aos jogos de futebol masculino, que estavam distribuídos assim:

A S.U.P.E.R. Gincana

Jogo 1	Quinta 10 h	São João	X	Vitoriosos
Jogo 2	Quinta 15h	Estrela Azul	X	Riso Feliz
Jogo 3	Sexta 10h	Vencedor Jogo 1	X	Vencedor Jogo 2
Jogo 4	Sexta 15h	Perdedor Jogo 1	X	Perdedor Jogo 2
Jogo 5	Sábado 15h	Vencedor Jogo 3	X	Vencedor Jogo 4

— Bom saber que existe chance de repescagem caso a gente perca hoje — disse Pastilha, analisando a tabela.

— Eu nem gosto de futebol, mas não perderia esse jogo por nada — revelou Paçoca, já atacando um cachorro-quente e um refrigerante. — Mal posso esperar pra ver o Pimenta marcando um monte de gols nesses metidos do Vitoriosos!

— Esse jogo marca também a estreia dos nossos animadores de torcida — lembrou o professor. — Olha lá eles se apresentando! A Ana Sophia é a capitã da equipe, não?

Pastilha fez uma careta e olhou para Princesa, que estava lá no campo dançando com seus colegas. Contrariada, teve de reconhecer que a amiga comandava com maestria o espetáculo pré-jogo, superando de longe a equipe do Vitoriosos em energia e alto astral.

— Queria saber o que o meu pai está fazendo sentado lá na tribuna de honra — falou Paçoca.

— Oi? O seu pai? Cadê ele que eu não estou vendo?

— Toma aqui, Ju — disse o menino, tirando um binóculo de sua mochila. — Isso vai te ajudar.

A menina olhou através dos binóculos e focou na tribuna de honra. Viu que lá estavam o diretor Roger, os pais de Princesa e Peteca, além do diretor do Vitoriosos, Magno Dante. Carlos, o pai de Paçoca, também estava por ali, mas tinha cara de poucos amigos.

— Você não disse que o seu pai estava trabalhando em um projeto para o pai da Princesa? Ele deve ter sido convidado por isso...

— Não sei. Só sei que o meu pai está com uma cara esquisita. Isso não é normal...

— Bom, a gente tenta descobrir depois. Ei, olha lá: os meninos estão entrando em campo! Ai, que legal, o jogo vai começar!

Antes de correr até o centro do gramado, Pimenta foi ao encontro de Princesa, que havia acabado de encerrar sua apresentação. Ele a parabenizou pela performance e cobriu-a de elogios. A jovem limitou-se a revirar os olhos. Olhou para uma colega de equipe e enfiou o dedo na garganta, fingindo que iria vomitar. As duas riram.

— Vou fazer muitos gols hoje, Princesa — gritou Beto. — Todos pra você!

Princesa cobriu o rosto, roxa de vergonha, e mandou que as colegas ficassem quietas.

Pimenta foi ao centro do campo aguardar o início da partida. Felipe Dante, capitão do time rival, encarou-o com desprezo; gesto repetido por seu irmão gêmeo, Caio, com quem formava a dupla de atacantes do Vitoriosos. Ambos mostravam-se confiantes e debochados.

— Está pronto pra perder, pivete? — provocou Felipe.

Pimenta não respondeu, mas sentiu o sangue ferver. Piolho olhou para Marcus, que lhe devolveu um olhar apreensivo. Ambos torciam para que o pavio curto do amigo não lhes custasse a partida.

O juiz apitou e a bola rolou. Ambas as torcidas se puseram a cantar e a vibrar com os lances iniciais. Pastilha não curtia esportes, mas precisava dar o braço a torcer: a emoção de ser torcedor era algo realmente contagiante. Dali a pouco ela estava pulando e gritando junto com a multidão, torcendo por seus amigos.

O jogo correu equilibrado em seus primeiros quinze minutos, enquanto os times se estudavam. Foram poucos lances de perigo, para alívio do goleiro Girafa.

Num lance brilhante, Piolho conseguiu roubar a bola de Caio Dante deixando Marcus livre para atacar. Ele e Pimenta fizeram tabela, driblando todo o time do Vitoriosos até se verem cara a cara com o goleiro rival, coitado.

— *GOOOOOLLL!!!* — gritou o narrador da partida.

Pimenta fora o autor do gol, para desespero dos gêmeos. O rapaz trocou abraços com os companheiros de time e então apontou para Princesa, dando a entender que o lance fora um presente para ela. A jovem, exercendo sua função de animadora de torcida, tratava de comemorar o gol e levantar a arquibancada, mas se pudesse, sairia correndo dali de tanta vergonha.

O gigante técnico Muralha pediu tempo e logo mostrou seu despreparo para lidar com jovens: xingou e humilhou seus jogadores como se eles tivessem cometido uma falha gravíssima ao levarem aquele gol. Foi especialmente rude com seus zagueiros, chamando-os de "mocinhas". Mandou que aquilo não se repetisse mais, senão...

Piolho imaginou que o "senão" seria o treinador deles virá-los, literalmente, do avesso.

O jogo seguiu sendo dominado pelo São João, mas a defesa do Vitoriosos – talvez por medo de seu técnico – conseguiu segurar o resultado até o fim do primeiro tempo.

A torcida do São João celebrava o placar de 1x0 enquanto o lado da torcida do Vitoriosos era só raiva e desânimo, como se o time deles já tivesse perdido a partida. Pastilha entendeu que aquelas pessoas simplesmente não sabiam perder. Ao recolocar os binóculos e olhar para a tribuna de honra, levou um susto: o pai de Paçoca discutia com o diretor do Vitoriosos e com um homem louro. O estranho deixou uma maleta preta com Magno Dante e saiu de lá apressado, de modo que a menina mal pôde vê-lo direito.

Juliana ignorou completamente a apresentação dos animadores de torcida e focou naquela discussão, ajustando o *zoom* do binóculo ao máximo. Por fim, viu Carlos balançar a cabeça, desanimado, como se tivesse descoberto algo que lhe desagradava muito. A menina o viu recolher suas coisas e ir embora, parecendo frustrado consigo mesmo. Ela moveu o binóculo para o lado e viu quando Magno Dante abriu a maleta e retirou um pequeno objeto de dentro dela.

"O que é aquilo?" pensou a menina.

No exato instante em que o árbitro deu início ao segundo tempo, o diretor do Vitoriosos sorriu de forma maquiavélica e colocou o tal dispositivo no rosto. A coisa lembrava um par de óculos escuros comum, a não ser pelos botões que a menina viu o sujeito apertar nas laterais da armação.

Pastilha se pôs a imaginar o que aquele homem estaria aprontando. De repente, ouviu uma gritaria sem fim. A menina levou um susto e sentiu o coração palpitar; retirou os binóculos e olhou ao redor. A razão da algazarra fora um gol do Vitoriosos. 1x1, gol de Felipe Dante.

Juliana perdera o lance, mas segundo a análise do professor Pedro, aquela fora uma das jogadas individuais mais bonitas que ele já vira na vida, com o garoto driblando quase que todo o time do São João até encarar o goleiro, driblá-lo e chutar para dentro do gol.

Pastilha colocou o binóculo e viu a expressão descontente de Pimenta. Viu o chato do Felipe Dante o provocando, fazendo uma dancinha na frente dele.

A bola voltou a rolar e, dois minutos depois, saía mais um gol do Vitoriosos, que havia conseguido virar a partida. 2x1 para o time da casa.

— Ai, que raiva, não acredito que eles viraram tão rápido! — lamentou Paçoca, devorando agora um saco gigante de pipoca. — O que aconteceu com o nosso time no intervalo?

Pastilha não respondeu. Um alarme havia disparado dentro dela, mas sabia que o que estava pensando era uma grande loucura. Simplesmente seria algo impossível de estar acontecendo. Não seria cientificamente possível e nem ético. Tentando desviar a atenção de seus pensamentos conspiratórios, a menina resolveu voltar a focar no jogo.

Piolho tocou a bola para o lateral Diego, que rolou para Pimenta, mas o passe saiu errado e um jogador do Vitoriosos conseguiu roubar a bola. O garoto se moveu com absurda agilidade e total precisão, conseguindo driblar sozinho quase que o time inteiro do São João. Passou a bola para Caio Dante, que teve que saltar para evitar o carrinho do zagueiro. O outro jogador da defesa foi para cima do oponente, mas levou um balão tão humilhante que acabou estatelado no chão, comendo grama. Não havia mais ninguém entre Caio e o goleiro do São João. O jovem milionário chutou, a bola fez uma curva inacreditável, encobriu Girafa, e foi balançar a rede. 3x1, para delírio da torcida do Vitoriosos e desespero de quem torcia pelo São João.

A S.U.P.E.R. Gincana

No banco, Pinguim implorava ao treinador que o deixasse jogar. O técnico Chicão parecia não acreditar no que estava acontecendo. Sabia perfeitamente bem que seus atletas estavam dando o seu melhor, mas era como se o time adversário tivesse acordado para o jogo, exibindo um talento que haviam escondido durante todo o primeiro tempo. O homem não sabia se aquilo fora estratégia de jogo ou pura sorte, mas o fato era que o time do Vitoriosos mostrava-se imbatível de uma hora para a outra.

— Estou impressionado com a melhora técnica do time adversário, Ju — comentou Paçoca, que de tão surpreso quase deixara cair seu copo de refrigerante. — A precisão dos chutes deles melhorou em 100%. Das três vezes que chutaram ao gol eles marcaram; chutes fortes e precisos, a trajetória da bola sempre com uma curvatura perfeita. Se continuar assim, o São João vai sair completamente humilhado dessa partida.

— Eu tenho uma teoria meio louca, mas... Ah, deixa pra lá! Não pode ser...

— O que é, Ju? Fala aí o q... — O barulho da torcida rival interrompeu Paçoca. — Mas será possível?!? Outro gol?!? E do Felipe! Só dá esses gêmeos no segundo tempo...

— 4x1... Mas essa goleada cheira a trapaça! — cochichou Pastilha, para não chamar a atenção do professor Pedro.

— Do que você está falando, Ju?

— Me fala sobre esse projeto que o seu pai desenvolveu para a Ventura: o que ele fez exatamente?

— Eu não sei quase nada a respeito... Quando o meu pai se tranca no laboratório para trabalhar num projeto novo, ai de mim ou da minha mãe se a gente interrompê-lo.

— Mas ele não comentou nada com você? Porque eu estou muito desconfiada de que tem dedo do seu Carlos nessa virada inexplicável do Vitoriosos...

— Do meu pai? Mas do que você está faland...

A torcida adversária vibrou mais uma vez.

— 5x1? — desesperou-se Pastilha. — Caramba, olha só a cara de derrota do Pimenta e do Piolho... Até o Pinguim já entrou no jogo e não adiantou nada! Olha lá o professor Chicão... Está desesperado, sem saber o que fazer!

— Não muda de assunto, Ju. Me explica direito essa sua desconfiança.

— Você já leu esse folheto com propaganda da Ventura que distribuíram na entrada do jogo?

— Só dei uma olhada. Não ligo pra equipamentos esportivos...

— Pois dá só uma lida nesse trecho aqui.

O pequeno inventor engoliu um bombom e se pôs a ler a parte do folheto indicada pela amiga:

Desenvolvidas pela Ventura, as chuteiras da linha "Super" possuem desenho anatômico e sem costuras, sendo muito mais confortáveis, leves e resistentes, melhorando o desempenho do atleta em 100%. A chuteira conta com tecnologia de travas que permitem maior tração e velocidade, além de um perfeito domínio da bola em qualquer condição climática.

— O que é que tem? É só blá, blá, blá de propaganda.

— Continua lendo! Aqui, na parte com as letrinhas miúdas.

O menino bufou e continuou a ler, enquanto o placar da partida mudava para 6x1 e alguns torcedores do São João já começavam a deixar o ginásio.

A S.U.P.E.R. Gincana

As "Super" chuteiras contam com a inovadora tecnologia S.U.P.E.R. desenvolvida pela Ventura S.A. – Patente pendente.

— Pronto, já li. E daí, Ju?

— Você leu direito? S.U.P.E.R. é uma sigla dessa tal tecnologia. O que será que quer dizer? Minha intuição me diz que tem dedo do seu pai nisso! Ele deve ter inventado alguma coisa que melhora o desempenho do jogador, e isso tem outro nome: trambique!

Paçoca lançou uma olhar indignado para a amiga.

— Ficou doida, é? Você está acusando o meu pai de uma coisa muito séria! Com base em quê você diz isso?

— Eu estava usando os binóculos quando vi o seu pai discutindo com o diretor do Vitoriosos, o tal do Magno Dante. Logo depois um outro homem apareceu para entregar um par de óculos pra ele. Aí eu vi quando o Magno olhou para o campo fazendo cara de vilão de filme de ficção científica e apertou um monte de botões nesses óculos. Foi a partir daí que os filhos dele começaram a jogar futebol como se fossem os melhores do mundo. Você não acha isso tudo muito esquisito?

O jovem inventor ficou calado. Abriu um pacote de biscoito de limão e se pôs a comer e pensar, comer e pensar. Pastilha se desesperou com mais um gol do time adversário. 7x1. O ginásio do lado da torcida do São João já estava quase todo vazio, enquanto que no lado do Vitoriosos tudo era festa. Até o professor Pedro pediu desculpas aos dois e foi embora, alegando que tinha que ajudar a organizar outro evento da gincana.

A apresentação dos animadores de torcida se tornara uma competição injusta. A equipe da casa tinha uma grande multidão para interagir. Já a do São João se esforçava em manter os sorrisos e a coreografia, mesmo diante do desempenho pífio do time pelo qual deveriam torcer. Cantavam e dançavam para uma arquibancada vazia.

— A sua teoria é interessante, Ju — respondeu Paçoca, enfim, devorando o último biscoito do pacote, sem ter oferecido unzinho sequer à amiga. — Mas eu vou precisar de algum tempo para confirmá-la.

— Temos que ser rápidos! Se estiver realmente acontecendo trapaça, a gente tem que denunciar isso ao diretor Roger o quanto antes. Ele vai saber o que fazer...

— Mas aí temos um problema: se for verdade que as super chuteiras são uma fraude, vamos manchar a reputação de um monte de gente: do pai da Princesa, do pai da Peteca e do meu próprio pai. Por isso estou tão incrédulo. Não posso aceitar que ele se envolveria num projeto que prejudicasse a nossa escola.

— Sim, mas o seu pai estava com cara de quem estava arrependido por ter feito algo errado. Muito suspeito.

O juiz apitou o final da partida. Os garotos do São João literalmente caíram sobre o gramado, mortos de cansaço e abalados pela frustração de terem estreado com uma derrota tão humilhante. Muitos não conseguiram conter as lágrimas, como Piolho e Pinguim. Não era um choro de tristeza, mas de raiva. Os garotos não sabiam explicar o motivo, mas a verdade é que todos se sentiam enganados, como se a vantagem do outro time sobre eles não fosse algo natural.

Pimenta não tirava os olhos dos gêmeos Dante, que comemoravam a vitória junto a sua torcida. O rapaz cerrou os

A S.U.P.E.R. Gincana

punhos quando viu Felipe Dante, todo serelepe, atravessar o campo para ir falar com Princesa, cabisbaixa e triste. Viu bem quando o milionário levantou o queixo da garota com as mãos, mandando que ela se animasse. A jovem sorriu, sem jeito. Ela olhou rapidamente para Pimenta e fechou o rosto, encarando-o com um semblante mortal. Então fixou os olhos em Felipe Dante e passou as mãos pelos braços do rapaz, aceitando que ele a abraçasse, dando as costas a Beto. O capitão do São João se levantou para ir até lá tirar satisfação, mas foi impedido pelos jogadores do time rival, liderados por Caio Dante, que começaram com as provocações:

— 7x1! Vocês não têm vergonha, não? Que mico! — disse o filho do diretor do Vitoriosos, sorrindo de maneira irritante.

Pimenta fez que ia bater nele, mas foi impedido pelo técnico Chicão, que o segurou pelo braço.

— A gente não veio aqui pra isso, Beto. Temos que manter o controle e ter espírito esportivo.

— Mas eles *tão* debochando da gente, treinador! Têm que saber ganhar também...

— Concordo, mas quem agride o outro sempre perde a razão. Deixe que eles provoquem, ainda não estamos fora da disputa. Agora é focar no jogo de amanhã.

— Meninos! — gritou Pastilha, invadindo o campo junto com Paçoca. — Vocês estão bem?

— Alguém anotou a placa do caminhão que atropelou a gente? *Tô* morto... — balbuciou Piolho, deitado sobre a grama e exalando um fedor tão forte que seus colegas de time tentavam rastejar para longe.

— A gente está bem, Ju — respondeu Pinguim, sem ar. — Só que ninguém esperava um resultado tão humilhante.

— Mas também, o que deu naqueles gêmeos depois do intervalo? — quis saber Pimenta, furioso. — O jogo *tava* dominado! Aí voltaram pro segundo tempo batendo um bolão!

— Ah, mas eu sei o que aconteceu! Foi o diretor do Vitoriosos que... AI!

Pastilha se irritou com Paçoca, que havia lhe dado um beliscão no braço. O gordinho sussurrou em seu ouvido:

— Essa acusação é muito séria. Não vamos comentar nada enquanto não tivermos apurado os fatos...

Indignada, a menina pensou em protestar, mas entendeu as razões do amigo inventor. Ela então olhou para o relógio e levou um susto com a hora.

— Caramba! Daqui a pouco tem a prova de redação! Vamos lá, Paçoca!

Os dois saíram correndo do estádio, deixando os jogadores do São João estirados no gramado, lamentando a derrota. O técnico Chicão bateu palmas e deu ânimo ao time, lembrando que disputariam a repescagem na manhã seguinte.

— Provavelmente vamos disputar uma vaga para a final com o Riso Feliz — analisou Pinguim. — Duvido que o Estrela Azul perca pra eles hoje à tarde.

— Depois da lavada que a gente levou hoje, eu não duvido de mais nada! — disse Pimenta.

— Falando em lavada, hora de ir pro chuveiro, pessoal! Chega de preguiça! — mandou o auxiliar técnico.

— Chuveiro?!? — lamentou Piolho, desanimado. — Como se perder pro Vitoriosos já não fosse desgraça suficiente por hoje...

Capítulo 13
Entendendo as Regras do Jogo

Pastilha e Paçoca correram até o prédio principal, pois a gincana de Redação começaria dali a poucos minutos. Durante o trajeto tentaram encontrar com os outros três alunos do São João que faziam parte do time, mas não viram nem sinal deles. Para piorar a situação, o mapa que tinham em mãos não os ajudou a encontrar a sala onde aconteceria a prova. Caminha aqui, procura ali, e os dois ficaram ainda mais preocupados com a hora.

— A gente não devia ter ficado até o final do jogo, Ju. Vamos perder a prova!

— A culpa não é nossa, é dessa escola enorme onde tudo é mal sinalizado. Eu acho que a gente já passou por aqui... Ou será que não?

— E os corredores são tão desertos... Que medo!

Ambos ouviram vozes. Eram três alunos do Vitoriosos que desciam o corredor.

— Ai, que bom que encontramos vocês por aqui! — comemorou Pastilha. — Sabem informar onde fica essa tal "Sala dos Eternos Poetas"? Diz aqui no mapa que fica na ala oeste do prédio, no terceiro andar, mas a gente já deu várias voltas e não achou até agora.

— Vocês vieram fazer a prova de redação? — quis saber a aluna do Vitoriosos.

— Sim, somos do time do São João! Podem ajudar a gente?

— Claro! Só que vocês estão na ala errada. A sala que procuram fica no outro prédio.

— Não pode ser. Eu olhei no mapa e...

— Não ficaram sabendo? Devido à grande quantidade de eventos simultâneos, o mapa acabou saindo com alguns erros. Já anunciaram nos auto-falantes que era pra todo mundo pedir ajuda pros alunos do Vitoriosos. Estamos aqui pra isso.

— Ai, jura? Que coisa chata... E a gente já está atrasado para a prova!

— Se vocês correrem, ainda dá tempo. Vão lá!

Paçoca e Pastilha deram meia volta e saíram descendo a escadaria às pressas. Quando chegaram ao térreo se depararam com seus colegas de equipe, que se assustaram ao vê-los indo na direção contrária.

— Onde os dois pirralhos da Página Pirata pensam que vão? — quis saber um garoto do oitavo ano. — Temos uma competição de redação pra ganhar, esqueceram?

— Acontece que o mapa está errado. A sala da prova não fica nessa ala, fica lá do outro lado. Temos que correr!

— Não tem essa de mapa errado; a sala fica lá em cima. Estive lá de manhã pra ver onde era. Só é muito escondida.

— Mas é que falaram pra gente que...

— Vamos, já está quase na hora. Depois a gente conversa.

Os cinco alunos subiram correndo e logo a dupla se viu de volta ao terceiro andar. Só que dessa vez, guiados pelo colega de equipe, entraram num corredor escondido que eles sequer haviam notado da primeira vez. Conseguiram entrar na sala

A S.U.P.E.R. Gincana

bem no último instante; o professor já estava quase fechando a porta.

Pastilha sentiu um arrepio ao encontrar lá dentro os alunos do Vitoriosos que haviam lhe informado a direção errada. Estavam os três lá, sentadinhos em suas mesas, prontos para começar suas redações e rindo da cara deles.

— Eles mentiram pra gente! Queriam fazer a gente perder a prova... — ela cochichou para Paçoca.

O colega que os trouxera até ali ouviu e achou graça. Ele se aproximou da menina e falou em seu ouvido:

— Bem-vinda ao Vitoriosos, onde vale tudo pra ser o melhor. Até trapacear.

Pastilha e Paçoca engoliram em seco e correram para seus lugares. A menina passou pela equipe do Estrela Azul – desfalcada em dois alunos – e notou que não havia ninguém do Riso Feliz ali. Provavelmente estavam todos perdidos em algum lugar daquele prédio, procurando pela sala.

A menina escreveu sua redação com lágrimas nos olhos. As regras daquele jogo começavam a ficar mais claras para ela.

Capítulo 14
Entregando o Jogo

Pimenta e Piolho ainda lamentavam o resultado do jogo, mas ao menos se sentiam aliviados por estarem livres pelo resto do dia, ao contrário de seus amigos. Peteca mal tivera tempo para almoçar, que dirá falar com eles. Seu time derrotara o Estrela Azul no vôlei e ela agora se preparava para o jogo de basquete contra a mesma escola. Princesa desapareceu junto com a melhor amiga, dizendo que assistiria à partida dela. Com Pastilha e Paçoca fazendo a prova de redação e Pinguim focado nos treinos para o torneio de Xadrez, Pimenta e Piolho foram os únicos a ficar no ginásio para assistir ao jogo de futebol masculino entre Estrela Azul e Riso Feliz.

— Pelo visto, a gente vai mesmo enfrentar o Riso Feliz na repescagem de amanhã — disse Piolho, vendo os times entrarem em campo. — Olha só pra esses caras... Só tem trouxa nesse time. Não tem como o Estrela Azul perder essa partida.

Pimenta limitou-se a balançar a cabeça, concordando. Piolho percebeu que o amigo estava preocupado.

— Você *tá* legal?

— Na verdade, não. É que eu não podia ter perdido o jogo hoje... Acho que me queimei com a Princesa.

— Como assim, "se queimou"?

A S.U.P.E.R. Gincana

— É que eu prometi que ia fazer muitos gols pra ela, mas só fiz um.

Piolho revirou os olhos, aborrecido.

— Na boa, Pimenta... Não sei o que você vê nela. A garota se acha a tal porque é bonita e tem dinheiro. Grande coisa!

— Não fala assim dela! Que falta de respeito...

— Falta de respeito é o que ela faz contigo, Beto. Poxa, toda hora ela te zoa e você ainda fica aí, babão? Sai dessa! Tanta gatinha na escola e você fica correndo atrás dela com essa cara de zumbi querendo cérebro. Só que você não é zumbi e nem ela tem cérebr... Ah, você entendeu.

Pimenta ia reclamar com o amigo, mas desistiu ao ouvir o apito do juiz dando início ao jogo. Os gritos das duas torcidas agitaram o ginásio.

O primeiro tempo transcorreu sem maiores emoções, dando muito sono em quem assistia. Até os animadores de torcida de ambas as escolas se mostravam entediados diante de uma partida tão ruim. Vez ou outra algum torcedor era pego vaiando o próprio time. O árbitro apitou o fim do primeiro tempo e o locutor anunciou o placar: 0x0.

— Mas que joguinho chato esse... — reclamou Piolho. — Geral fazendo corpo mole!

— O Estrela Azul *tá* escondendo jogo. Isso é estratégia.

— Só se for estratégia pra fazer todo mundo dormir, Pimenta.

O segundo tempo foi outra tortura para quem assistia. Começou e terminou com o mesmíssimo placar. A partida seria decidida na cobrança de pênaltis, para desespero da torcida e, em especial, de Piolho.

— Mas será possível?!? Esse time do Riso Feliz é ruim demais! A bola para no pé deles e não sabem o que fazer com ela! Deviam mudar o nome dessa escola pra Riso Infeliz!!!

— Sabe o que é pior? Eu já entendi o plano do Estrela Azul.

— E qual é?

— Ah, Piolho, *tá* na cara que esses espertalhões querem entregar a partida. Desse jeito eles enfrentam a gente amanhã na repescagem e quem enfrenta o Vitoriosos é o Riso Feliz. *Sacou* a maldade? Eles querem encarar o time da casa só na final e tentar se segurar o máximo possível na gincana.

Piolho arregalou os olhos e teve que segurar o queixo para que não caísse no chão.

— Cara, pode crer! Mas isso é muita covardia... Que feio!

— Põe feio nisso. Acho que vamos ver algumas bolas sendo chutadas pra fora nessa cobrança de pênaltis.

Os garotos de ambos os times cobravam os pênaltis como se fosse a primeira vez em suas vidas que chutavam uma bola. O técnico do Riso Feliz gritava palavras de incentivo ao seu time. Já o técnico do Estrela Azul nada dizia a seus jogadores, o que evidenciava uma situação muito estranha que só comprovava a teoria de Pimenta: a de que o Estrela Azul não queria ganhar aquela partida de jeito nenhum.

As cobranças de pênaltis continuaram por longos minutos, com alguns torcedores vaiando os times e se retirando do ginásio. Por fim, um dos meninos do Riso Feliz conseguiu chutar a bola bem no meio do gol. O goleiro adversário saiu da frente sem sequer disfarçar e a partida foi finalmente encerrada. O time do Estrela Azul saiu de campo sob vaias da própria torcida, enquanto a equipe do Riso Feliz carregava

A S.U.P.E.R. Gincana

seu pequeno herói – e artilheiro do time – nos braços, todos muito emocionados.

— Esse Estrela Azul... Que papelão! — lamentou Piolho.

— Vou fazer questão de marcar uns belos gols nesses caras amanhã! — prometeu Pimenta.

— Com certeza tomaram essa decisão de última hora depois que viram a coça que o Vitoriosos deu na gente hoje... Só que eu também vou com tudo pra cima deles amanhã. Ah, se vou!

Tão logo os dois garotos deixaram o ginásio, foram abordados por Pastilha, que acabara de sair da prova de redação.

— Acho que fui bem, mas o resultado só sai no último dia da gincana. E estou com um pouco de dor de cabeça... Testemunhei coisas bem chatas acontecendo.

— Que coisas? — quis saber Pimenta.

— Nada, não. Só estou me dando conta de que ninguém nessa escola presta.

— Uau, conta uma novidade pra gente... — brincou Piolho. — E cadê o Paçoca?

— Terminou a redação dele em menos de dez minutos e saiu correndo para a competição de matemática. Não o vi mais. E a partida que vocês assistiram, como foi? As torcidas saíram daqui tão irritadas...

— Foi porque o time do Estrela Azul entregou o jogo. Não queriam enfrentar o Vitoriosos amanhã.

— É sério isso?!? Eles não têm vergonha?

— A gente estava se perguntando a mesma coisa...

Paçoca deixou o prédio principal da escola e foi direto encontrar com seus amigos, mas sequer teve tempo de contar sobre a prova de matemática, na qual levara toda a equipe do

São João nas costas; Pinguim surgira do nada para arrastá-lo para longe.

— Onde é que você se meteu, Paçoca? Está quase na hora da primeira eliminatória do xadrez, esqueceu?

Tão logo os dois sumiram de vista, Peteca passou correndo acompanhada por Princesa, que ajudava a amiga a carregar seus equipamentos.

— Oi! — gritou a atleta, esbaforida e triste, sem parar de correr. — Adivinhem: a gente perdeu pro Estrela Azul no basquete... Agora estou indo treinar para as provas de atletismo de amanhã. Não posso desapontar o meu pai, né?

As duas amigas desaparecem de vista, deixando Pimenta, Piolho e Pastilha sozinhos.

— Credo, essa gincana *tá* uma correria só! E olha que hoje é só o primeiro dia — analisou Piolho, cruzando os braços. — Ainda bem que eu só me inscrevi no futebol...

— E eu que já fiz a minha redação e agora não tenho mais o que fazer até o fim da gincana? — lamentou Juliana. — Bom, vai sobrar mais tempo pra tentar descobrir alguma coisa sobre esse tal Magno Dante. Ele está aprontando, eu só ainda não sei o quê. Até mais!

Beto e Piolho olharam um para o outro.

— E agora, Pimenta? O que a gente faz?

— Olha, vai começar o vôlei feminino. Riso Feliz contra Vitoriosos. *Bora* ver?

— Meninas de shortinho curto pulando? "Já é"!

Os dois garotos saíram correndo, felizes da vida. Tudo o que mais queriam era deixar as preocupações de lado. Afinal, aquela gincana estava apenas começando.

Capítulo 15
Vitória Sob Vaias

O segundo dia de competições começou agitado desde cedo, com toda a turma indo conferir as etapas finais do atletismo feminino. Usando um belíssimo par de tênis de corrida modelo Ventura Super, Peteca brilhou na modalidade, desbancando várias garotas das escolas rivais. Contudo, perdeu a última corrida para uma aluna do Vitoriosos, uma jovem ruiva muito bonita, tida como a grande favorita.

Exausta, mas certa de que havia dado o máximo de si, Peteca fez questão de ir parabenizar a oponente.

— Nossa, que tempo incrível você fez! É mesmo a melhor!

Peteca ergueu a mão e ficou com ela parada no ar, esperando que a adversária retribuísse o cumprimento. Mas a outra jovem simplesmente lhe deu as costas, indo falar com seu treinador.

— Ei, eu estou falando com você!

Ofendida, Peteca puxou a outra competidora pelo braço, mas a jovem deu um grito.

— Não encosta em mim, garota!

Peteca sentiu-se confusa e desrespeitada. Chamada para subir ao pódio, colocou-se bem ao lado da campeã, que a ignorou por completo.

A atleta do São João fez questão de levantar a cabeça e encarar o público. Quando o nome da vencedora foi anunciado, houve uma chuva de aplausos da imensa torcida do Vitoriosos e das demais escolas. Mas quando chamaram o seu nome, ela percebeu que a maior parte da torcida se calou e foi possível até ouvir algumas vaias. Os aplausos entusiasmados só voltaram para a terceira colocada, também aluna do Vitoriosos.

Quando a cerimônia de entrega de medalhas chegou ao fim, Peteca deixou o pódio às pressas. Seus amigos vieram parabenizá-la, mas se assustaram ao ver que ela chorava. Pimenta, que não havia podido assistir à prova de atletismo da amiga para poder participar da competição de quadrinhos, acabara de chegar e já queria saber o que estava acontecendo ali.

— O que foi, Peteca?

— Nada, Pimenta. É que essa escola fede.

— Por quê? O que aconteceu?

O pai de Peteca, muito aborrecido com a cena que acabara de presenciar, veio correndo abraçar a filha. Adotando um tom terno na voz, tentou consolá-la:

— Minha querida, o que importa é que você brilhou e deixou seu pai muito orgulhoso. Não deixe que a torcida deles abale a sua confiança.

— Você viu que teve gente que me vaiou? Como podem ser assim? Isso é só uma gincana entre escolas, poxa!

— Também passei por isso em grandes competições, filha. Infelizmente existem pessoas que só querem ganhar. A torcida do Vitoriosos queria ver três alunas deles no pódio hoje, e você estragou a festa deles com maestria!

Peteca sorriu em meio a soluços. Pai e filha se abraçaram mais uma vez.

A S.U.P.E.R. Gincana

Princesa chegou acompanhada por Felipe Dante, que tinha os braços em torno da cintura da jovem. Ao ver aquilo, Pimenta sentiu o corpo estremecer.

— Você está bem, amiga? — quis saber a loura.

— Não, amiga, não estou nada bem. Acabei de ser humilhada na frente de todo mundo pela torcida do Vitoriosos, você não viu? E o que é isso? Vocês dois estão ficando, é?

Princesa e Felipe se abraçaram e fizeram que sim com a cabeça, para então se beijarem. Pimenta sentiu o corpo inteiro ferver e deu um passo em direção ao casal. O técnico Chicão percebeu que havia algo errado e pôs a mão no ombro do rapaz, que recuou, sem ar.

— Vim te contar que eu e o Felipe estamos juntos! Olha só a pulseira linda que ele me deu... É de ouro!

Peteca olhou para a joia sem dar muita importância.

— Sério mesmo que você vai ficar com um cara que me vaiou, amiga? Sim, porque de lá do pódio eu vi bem esse moleque aí me zoando. Ou você vai negar, Felipe?

— Ah, qual é? Foi brincadeira! Coisa de rivalidade entre torcidas. Achei até que você mandou bem na corrida para uma...

— Para uma o quê?

— Ah... Bem... Para uma aluna do São João!

Todos aos redor se ofenderam com o comentário, até a própria Princesa. Peteca bufou e foi embora sem se despedir.

— O que foi que deu nela? Eu só fiz uma brincadeira!

— Tem brincadeira que dói, Felipe — lembrou Pastilha, indo atrás da amiga junto com Piolho, Pinguim e Paçoca. Pimenta deu uma última encarada no rival antes de ir atrás deles.

— Mandou mal, Felipe — disparou Princesa. — Isso que você disse foi horrível.

— Ah, qual é, gata? Vem cá me fazer carinho, vem...
— Ai, me solta. Vou lá ficar um pouco com a minha amiga.
— Como é? Você vai me trocar por ela?
— Está me pedindo pra escolher? Toma cuidado que você pode não gostar da minha decisão...

Ofendido, o garoto deu um empurrão na jovem.
— Ai! Qual é?!? Ficou doido?
— Vê como fala comigo! Se quer ficar lá com a sua amiguinha, vai, mas pode me esquecer, falou? E acho bom devolver o presente que eu te dei. Foi muito caro pra um namoro tão curto...

Princesa olhou para a joia em seu pulso e engoliu em seco.
— C-calma. Não é pra tanto. Eu falo com a Vivi depois.
— Ótimo. Agora vem cá me beijar e esquece aquela lá.

Princesa ficou com Felipe, mas sua atenção estava longe. Só conseguia pensar no quanto havia falhado com sua melhor amiga.

Triste por diversas razões, Peteca aproveitou a carona do pai para ir para casa descansar um pouco. Pedira dispensa do jogo de basquete contra o Riso Feliz alegando cansaço, mas avisou que voltaria à tarde para a partida de vôlei. A verdade é que a jovem chegara a cogitar seriamente em abandonar a gincana, mas mudou de ideia ao se lembrar das colegas de ambos os times. Depois de conversar muito com seu pai, entendeu que estaria sendo uma boba ao desistir de tudo por causa das provocações.

— Não vou dar esse gostinho aos alunos dessa escola. Não mesmo!

Capítulo 16
Xeque-Mate

Ainda tentando entender o que havia acontecido durante a premiação da prova de atletismo, Pastilha quis saber dos garotos o que fariam agora. Paçoca e Pinguim lembraram que precisavam ir para a competição de xadrez, que lhes tomaria a manhã toda. Já Pimenta avisou que o jogo de futebol entre Vitoriosos e Riso Feliz estava para começar. Pastilha e Piolho queriam ir assistir ao xadrez, mas o menino gênio foi enfático em fazê-los mudar de ideia:

— Vocês já se esqueceram do que comentamos sobre a nossa desconfiança de que houve trapaça no jogo de futebol de ontem? Vocês três têm que assistir o jogo de hoje e ficar de olho no diretor do Vitoriosos. Se possível, tentem descobrir alguma coisa sobre essas tais "super chuteiras".

— Na verdade eu achei tudo o que vocês contaram uma maluquice... — confessou Piolho. — Achar que o diretor daqui controlou os jogadores através das chuteiras é muita ficção científica pro meu gosto... Eu, por exemplo, não senti que estavam me controlando em campo.

— Ah, mas aí é que está: a minha teoria é que apenas as chuteiras usadas pelo Vitoriosos contém algum segredo. E é por isso que eu preciso ter uma delas para analisar.

— E como você espera conseguir uma das chuteiras deles?

— Isso eu deixo pra vocês resolverem, Ju. Agora me deem licença que eu tenho uma competição de xadrez para vencer!

O ginásio já estava completamente lotado para a partida. Assim como acontecera no dia anterior, a torcida do Vitoriosos representava a maioria esmagadora. Mas o que causou espanto mesmo em Pimenta, Piolho e Pastilha foi ver que Princesa estava sentada na tribuna de honra, bem ao lado do diretor Magno Dante. A jovem se sentia uma estrela de cinema por estar ali, acenando para as pessoas e mandando beijos para o namorado almofadinha, que acabara de entrar em campo. Beto derramou sem querer o refrigerante que estava tomando quando viu a garota fazer um coração com as mãos e apontar para o detestável Felipe Dante, que corria pelo gramado se achando o rei da cocada preta.

O juiz deu início à partida. Juliana não tirou os olhos de Magno Dante nem por um segundo durante o jogo; ficou esperando pelo momento em que o homem fosse sacar os mesmos óculos escuros com os quais ela o vira manipular o resultado da partida no dia anterior. Só que dessa vez ela viera preparada: contava com uma poderosa câmera fotográfica com *zoom* e pretendia flagrar o diretor da escola rival trapaceando mais uma vez. No entanto, sua espera foi inútil: o Vitoriosos conseguiu massacrar o Riso Feliz por inacreditáveis 9x0, garantindo uma vaga na final. A torcida foi ao delírio e correu para o campo. Os jogadores foram erguidos para o

A S.U.P.E.R. Gincana

alto como se fossem grandes heróis. Já os jogadores do Riso Feliz foram praticamente expulsos dali, sendo humilhados pela torcida rival, que os xingava e ridicularizava.

— Não acredito! Esse time do Riso Feliz é tão ruim que o Vitoriosos nem precisou trapacear... — disse Pastilha, desanimada.

— Bom, essa é a hora em que a gente aproveita essa confusão no campo para agir — falou Piolho, descendo da arquibancada.

— Ei, aonde é que você vai?

— Vou ver se arrumo a tal chuteira que o nosso amigo cientista pediu. Me desejem sorte, não vai ser fácil entrar no território inimigo sem ser notado. Mas podem deixar que, se eu for pego, o nosso segredo morrerá comigo, companheiros!

Pastilha revirou os olhos. Virou-se para Pimenta e perguntou:

— E aí? Vamos tentar pegar o finzinho da competição de xadrez?

O amigo não respondeu. Só tinha olhos para Princesa e Felipe Dante, que estavam no meio do gramado, trocando juras de amor rodeados por uma multidão. Aquilo deixou Juliana tão irritada que ela simplesmente não conseguiu conter o veneno:

— Pelo visto, aquela lá encontrou seu habitat natural: rodeada de gente fútil e mesquinha. Não duvido que ela vá pedir ao pai para trocar de escola e vir pra cá.

Beto encarou a amiga com um semblante sério.

— Não fala mais nada da Princesa. Eu só quero sair daqui e rápido.

Pastilha concordou com a cabeça. Os dois saíram correndo, deixando a confusão no ginásio para trás.

Pastilha e Pimenta chegaram ao auditório aonde acontecia a competição de xadrez quando esta já caminhava para seus momentos decisivos. Foram se sentar perto de alguns colegas que logo lhes informaram que tanto Paçoca quanto Pinguim haviam conseguido garantir vagas para a semifinal, sendo os únicos alunos da equipe do São João que ainda permaneciam na disputa. Também continuavam no páreo um aluno do Estrela Azul e outro do Vitoriosos.

 Feliz com a notícia, Juliana achou graça ao ver que o aluno que continuava representando o time da casa era justamente Otto Bengel, o alemão encrenqueiro que criara a tal máquina de fazer chover que não fazia chover. Contudo, quis o destino que Otto fosse o adversário de Pinguim na semifinal.

 Paçoca, que enfrentaria o rapaz do Estrela Azul, fez questão de alertar o amigo:

 — Muito cuidado com esse Otto. Cruzei com ele ontem e já vi que é do mal.

 — Deixa comigo. Vou fazer esse alemão engolir as peças dele com mostarda escura.

 Otto Bengel foi ao encontro dos dois, exibindo um semblante vilanesco. Fez questão de confrontar Paçoca, encarando-o com repulsa:

 — Eu vai *vencerr* seu amiguinha *agorra*. E depois, eu vai *massacrarr* você...

 — Só que pra isso vai ter que ganhar de mim primeiro, *mané!*

 Otto voltou-se para Pinguim, encarando-o com fúria. Em silêncio, os dois foram se sentar na plateia, pois a pri-

A S.U.P.E.R. Gincana

meira semifinal seria entre Paçoca e o aluno do Estrela Azul. A partida não demorou muito, pois, por melhor que o adversário fosse – e é preciso deixar claro que o rapaz do Estrela Azul era excelente –, enfrentar Paçoca era como tentar vencer um computador ultra moderno. Terminada a partida, os juízes anunciaram que o aluno do São João já estava na final. Pastilha e Pimenta o aplaudiram muito, de tão empolgados que estavam.

Tudo o que Otto Bengel mais queria agora era se livrar o quanto antes daquele incômodo que chamavam de "Pinguim" para poder se ver cara a cara com Paçoca. Derrotá-lo no xadrez seria o castigo perfeito por ter caçoado de seu magnífico invento.

Os dois oponentes foram até a mesa com o tabuleiro. Pinguim defenderia o rei negro e Otto, o rei branco. Quando o alarme soou dando início à partida, o pequeno gênio do mal moveu um de seus peões e sorriu maliciosamente, batendo no relógio que regulava o tempo que cada jogador tinha para fazer sua jogada. Pinguim fez o mesmo, também batendo no relógio. A tensão dominava o público.

Pimenta tirou um cochilo, mas Pastilha ficou impressionada com o quanto uma partida de xadrez pode se tornar algo muito emocionante quando se tem peritos jogando. Havia um telão mostrando as expressões dos dois garotos, totalmente concentrados e determinados a vencer.

Cada movimento era calculado. O aluno do Vitoriosos podia até ser um gênio, mas Pinguim era um estrategista nato e volta e meia colocava seu oponente em situações complicadas que o faziam xingar em alemão. Otto urrava, esperneava, ficava laranja, vermelho e roxo. Já Pinguim mantinha um semblante sério, mas suava como nunca o fizera na vida.

Suava tanto que chegava a escorregar quando apoiava os braços na mesa. Até suas peças já estavam um tanto úmidas. Um leigo até poderia achar que Otto levava vantagem, tendo o maior número de peças no tabuleiro, mas Pinguim focava em eliminar aquelas que valiam mais pontos, como o cavalo, o bispo e a torre. Era fácil perceber que todos os alunos presentes que não eram do Vitoriosos torciam por ele.

Os juízes acompanhavam a disputa com máxima atenção, lance a lance. Otto perdeu um bispo e teve que sacrificar um peão. Pinguim também perdeu um bispo, mas o fez em troca de uma torre e do cavalo adversário. A rainha de Otto dançava perigosamente pelo tabuleiro. A de Pinguim defendia seu rei. Um jogo de gato e rato que já estava dando nos nervos do pequeno alemão. Ele sabia que Pinguim estava tramando algo, um bote para apanhar seu rei que ele simplesmente não conseguia enxergar. Estava tão desesperado para enfrentar Paçoca na final que ele simplesmente não conseguia se concentrar em ganhar aquele jogo primeiro.

Foi então que o pequeno Otto finalmente enxergou a jogada que o adversário armara para pegar seu rei. Só que ele o fizera tarde demais. Com um movimento final de sua rainha, Pinguim anunciou:

— Cheque-mate, sabichão.

O público demorou a esboçar alguma reação. Apenas quando os juízes anunciaram a vitória do aluno do São João é que a torcida explodiu. Empolgada, Pastilha se jogou por cima de Pimenta, que acordou assustado. Paçoca correu para abraçar Pinguim, mas ao ver o amigo todo ensopado de suor, limitou-se a apertar-lhe a mão.

— Deu certo! Chegamos juntos à final de xadrez, Pinguim!

— O que significa que o São João já é o campeão nessa modalidade, Paçoca!

Otto Bengel estava desolado. Olhou para sua torcida buscando algum consolo, mas todos lhe viraram as costas, deixando o salão às pressas, fugindo daquela vergonha. Até mesmo seu treinador o deixou sozinho. A única pessoa a se aproximar foi um homem louro muito alto, que se pôs a gritar com ele:

— Você *enverrgonharr* a mim e a seu mãe! Eu *serr* Hanz Bengel, *grrande inventorr* e homem do ciência! Todas *esperrarr* que meu filha *manterrr* meu *reputaçón*! É bom você *ganharr* o *competiçón* de *prrojeto* ambiental com seu *invençón* amanhã, Otto, *senón* eu vai *deserrdarr* você!

— Mas papá, eu não *comprreenderr* o que *acontecerr* aqui... *Estarr tuda sobre contrrole*, mas daí eu *perrderr* o *concentrração*; eu *acharr* q...

— *Nein! Nein! Nein!* Sem mais desculpas! Vai *ficarr* sem *comerr chucrrute* hoje!

— Ah, papá! Eu *amarr chucrrute!* Isso *serr puniçón muita rrigorrosa! Corrtarr* o salsicha, mas *nón* me deixa sem a *chucrrute!* Buááááá...

Os juízes e a torcida presente observavam a cena constrangidos. Pimenta e Pastilha vieram até o meio do salão para saber como ajudar. Paçoca bem que tentou conversar com o pai do alemãozinho, mas o próprio Otto gritou com ele, mandando que se afastasse.

— Eu odeia você, seu *gorrda!* Eu odeia você e esses seus amigas burras do Página *Pirrata!*

— Ei, quem você *tá* chamando de "burra"? Burro eu até posso ser, mas sou muito homem! — irritou-se Pimenta.

— Eu vai *acabarr* com vocês! Vocês *vón verr!* Ninguém *humilharr* Otto Bengel e *sairr* impune! Ninguém!!!

Pai e filho deixaram o salão discutindo aos berros. Pinguim e Paçoca olharam um para o outro, confusos. Os dois se voltaram para os juízes:

— A gente vai se enfrentar agora?

— Nada disso — disse um professor, já muito cansado. — A final do xadrez será amanhã bem cedo. Boa sorte; ambos mereceram chegar até aqui.

— Então, que vença o melhor, amanhã! — disse Pinguim, encarando Paçoca com um sorriso amistoso.

Capítulo 17
Vantagem ou Trapaça?

Pimenta e Pinguim mal chegaram ao ginásio e já foram levando bronca do técnico Chicão, que os mandou direto para o vestiário vestir seus uniformes. Os garotos até tentaram explicar o motivo do atraso, mas o treinador nem quis escutá-los de tão nervoso que estava; se o São João não ganhasse o jogo de repescagem contra o Estrela Azul, estariam fora da final do futebol contra o Vitoriosos no dia seguinte.

— Onde vocês se meteram? O Chicão *tava* aqui surtando! — quis saber Piolho, que encontrou com os amigos quando saía do vestiário, levando uma mochila nas costas.

— É que o campeonato de xadrez demorou muito! — explicou Pinguim. — Tanto é que a final entre eu e o Paçoca ficou pra amanhã.

— Caramba!!! *Os dois* estão na final de xadrez?!? Que épico!

O treinador voltou a gritar com os garotos e pôs fim ao papo. Antes de iniciar seu aquecimento, Piolho olhou para a arquibancada e fez sinal para Pastilha e Paçoca, que vieram até a lateral do campo. E ele foi correndo até eles, para desespero do auxiliar técnico.

— A "encomenda" que vocês me pediram está aí dentro da mochila. Não foi fácil conseguir uma chuteira do Vitoriosos "emprestada", então acho bom me entregarem ela inteira pra eu poder devolver amanhã ou o tempo vai fechar quando alguém ali perceber que ela sumiu.

— Pode deixar, hoje mesmo vou analisá-la em meu laboratório — disse Paçoca. — Mas vou precisar de uma das suas chuteiras também para poder comparar uma com a outra.

— Bom, não sei se você percebeu, mas vou precisar delas no jogo. Depois você pega comigo. Agora deixa eu ir logo pra lá ou o Chicão me mata!

De volta a seu lugar na arquibancada, Pastilha notou que o diretor do Vitoriosos levara os filhos para assistir ao jogo ao lado dele na tribuna de honra.

— Pelo visto esse sujeito está fazendo questão de acompanhar pessoalmente todos os jogos de futebol da gincana. Será que ele está planejando manipular o jogo e prejudicar o nosso time?

— Sabe-se lá do que essas chuteiras são capazes! Só não tira os olhos dele, Ju. Se vir qualquer atitude suspeita, fotografe! Precisamos de provas contra esse cara, do contrário ninguém vai acreditar na gente.

As equipes de animadores de torcida se encarregavam de entreter o público enquanto o jogo não começava. Assim que Pimenta entrou em campo, Princesa deixou o comando de seu time com uma colega e foi até ele, furiosa.

— Onde você se meteu? Estava todo mundo achando que você não ia aparecer pra jogar!

A S.U.P.E.R. Gincana

— É que eu fui assistir o pessoal jogar xadrez. Você sabia que o Pinguim e o Paçoc...

— Xadrez?!? Ficou doido? Isso não dá público! Você quer me prejudicar, é?!?

— Eu? Nunca! Mas... Como assim te prejudicar?

— Escuta aqui, garoto: pra minha equipe render bem eu preciso de gente animada na arquibancada. Se tiver pouca gente na torcida ou se ela não interagir, isso prejudica a minha apresentação, sacou? Então vocês *precisam* ganhar esse jogo hoje! Imagina só a gente na final contra o Vitoriosos: vai ser a nossa hora de brilhar! Agora, se a gente for eliminado, vamos animar o quê amanhã? A final de xadrez? Fala sério, ninguém assiste isso...

— Olha, até que estava bem cheio lá hoje...

— Não me interessa! Acho bom você ganhar esse jogo, ouviu bem?

— Sim, claro! Pode deixar...

O juiz mandou que os capitães do São João e do Estrela Azul viessem até o centro do campo. Pimenta, ainda atordoado pelas palavras de Princesa, encarou o jogador da escola rival de maneira ameaçadora. Mas foi o rapaz do Estrela Azul quem falou primeiro:

— E aí, estão preparados pra levar outra surra que nem a que vocês levaram ontem?

— Dos covardões que entregaram o jogo contra o pior time da gincana só pra poder fugir do Vitoriosos? Não mesmo. Vai ser muito legal acabar com a festa de vocês.

— Isso é o que nós vamos ver.

135

O árbitro mandou os garotos se acalmarem e deu início à partida.

O jogo foi disputadíssimo, mas o talento de Pimenta fazia a diferença dentro de campo. Não demorou para que o capitão do São João abrisse o placar, levantando a torcida e, com isso, fazendo Princesa brilhar ainda mais com suas coreografias. A jovem estava certa: um bom desempenho do time no gramado acabava refletindo tanto na performance dos animadores de torcida quanto na interação deles com o público. Empolgado com aquela descoberta, Pimenta se esforçou ainda mais em suas jogadas, fazendo mais dois gols só no primeiro tempo, que terminou em 3x1.

Durante o intervalo, o técnico Chicão fez elogios ao desempenho de todo o time. Sentindo-se bem consigo mesmo, Beto ficou algum tempo admirando o espetáculo dos animadores de torcida do São João. Princesa usava e abusava de seu carisma; sempre que um dos garotos da equipe a erguia lá no alto, a torcida aplaudia. A apresentação terminou em grande estilo quando todas as meninas subiram nos ombros dos rapazes e formaram uma pirâmide. O público aplaudiu de pé. Princesa se pôs a distribuir beijos para todos, mas focou em uma pessoa em especial, para a qual fez um coração com as mãos. Pimenta estremeceu ao ver que a jovem apontava para Felipe Dante, que a aplaudia lá da tribuna de honra. O almofadinha repetiu o gesto da jovem, retribuindo seus beijos. Beto sentiu a respiração acelerar e o coração palpitar. O ciúme lhe corroía.

— Sério que você ainda está a fim da Princesa, cara?

A S.U.P.E.R. Gincana

Pimenta olhou para Piolho, que o encarava com ar de reprovação.

— Vê se não me enche...

— Tudo bem. Só acho que ela não presta. Mas que ela é perfeita pro tal "Felipeidante", ah isso ela é...

— Cala a boca, Piolho! *Tá* querendo apanhar, é?

— Ei, ei! O que é que está acontecendo aqui? — interveio o técnico Chicão, se metendo entre os garotos antes que saísse briga.

— Nada, não, treinador — falou Beto. — Foi só esse mala aí que perdeu a noção do perigo...

— Não quero saber de brigas, ouviram bem? Quero foco no jogo, time!

Os garotos voltaram para o campo ainda se estranhando. Com poucos minutos de jogo, o Estrela Azul diminuiu o placar: 3X2. Pimenta foi tirar satisfação com o goleiro de seu time:

— Pô, Girafa, que frango, hein?

— Ué, deixaram o cara sozinho na frente do gol! Quer milagre, pede pro santo...

Chicão começou a ficar preocupado com o clima entre os garotos do seu time e logo percebeu que o problema era justamente seu capitão que, de uma hora para outra, resolvera criar caso com todos os colegas. O técnico consultou seu auxiliar e juntos tomaram a difícil decisão de mandar seu artilheiro para o banco. A decisão revoltou Pimenta, que saiu de campo xingando seu treinador.

— Vai esfriar essa cabeça no chuveiro, garoto. Depois a gente conversa.

Beto nem quis ver o restante do jogo. Foi direto para o vestiário, furioso. Fizera os gols que Princesa tanto lhe havia pedido, mas para quê? Para que ela fosse comemorar mandando beijos para o pior sujeito que ele já conhecera na vida. Como a vida podia ser tão injusta? Por que é que um sujeito que já tinha tudo na vida precisava cismar de querer ter também a pessoa que ele mais amava?

Pimenta ligou o chuveiro e deixou a água rolar por seus *dreadlocks*. Ficou feliz por estar sozinho e poder chorar sem que ninguém o visse.

O juiz apitou o fim da partida, levando a torcida do São João à loucura. Mesmo sem Pimenta em campo, o time fora capaz de segurar o resultado de 3x2 e garantir a vaga na final. Felizes, Piolho, Marcus e os outros garotos foram provocar os adversários:

— Viram só? Armaram no jogo de ontem achando que iam se dar bem em cima da gente e olha só o que aconteceu: dançaram! Perderam os dois jogos!

O capitão do Estrela Azul arrumou o topete e não deixou barato:

— Podem rir agora. Amanhã vocês vão ser massacrados mesmo. Todo mundo sabe que o Vitoriosos é invencível.

Os garotos do São João engoliram em seco. No fundo estavam todos morrendo de medo de enfrentar o time da casa novamente.

— Pessoal, vamos deixar de confusão! — falou o técnico Chicão, batendo palmas para impor ordem. — Todo mundo pro chuveiro agora. Temos uma final difícil pra vencer amanhã e quero todo mundo bem descansado!

A S.U.P.E.R. Gincana

— E aí, Pastilha? Alguma atitude suspeita do diretor do Vitoriosos durante o jogo?
— Nada, Paçoca. Estou começando a achar que a gente imaginou coisas no jogo de ontem...
— Anda, vamos lá falar com o Piolho e pegar a chuteira dele. Daqui vou direto para casa, tenho muito o que pesquisar essa noite!

Após o jogo, Paçoca pegou uma das chuteiras de Piolho e guardou na mochila. Quando todos estavam saindo do ginásio deram de cara com Peteca, cabisbaixa.
— Vivi, você por aqui? Achei que tinha ido para casa.
— Eu fui, Ju, mas voltei de tarde pro jogo de vôlei contra o Vitoriosos. Só que a gente perdeu e estamos fora da final. É inacreditável... Parece que a sorte está sempre do lado deles. Que raiva!
— Pois é... Eu diria que é uma *super* sorte — disse Paçoca, deixando Peteca sem entender nada. — Escuta, será que você poderia me emprestar um dos tênis que você usou durante a partida?
— Pra que você quer isso, garoto?
— Porque preciso de provas para denunciar um possível esquema de trapaça. Anda, me dá aí o tênis, eu te devolvo amanhã.
A garota obedeceu, mas bombardeou Pastilha e Paçoca de perguntas. O mais curioso é que todas as teorias malucas da dupla batiam com coisas sem explicação que ela mesma vira acontecer nas modalidades que vinha disputando.

— Será que estão manipulando todas as provas, gente? Isso é muito sério!

— Amanhã eu conto tudo o que descobri. Agora eu tenho que ir. Tchau!

Paçoca saiu correndo para encontrar o pai e ir para casa. Pastilha também queria ir embora, mas fez questão de esperar Pimenta sair do ginásio, pois estava preocupada com ele. Sabia que o amigo estaria chateado por ter sido substituído num jogo tão importante. De repente, a menina ouviu uma discussão acalorada. Ela, Pinguim e Piolho correram para ver o que estava acontecendo e se depararam com um bate-boca entre Pimenta e Felipe Dante, que deixava o ginásio acompanhado por Princesa e pelos colegas de time.

— Sai daqui! — ordenou o milionário, abraçado à garota.

— Eu só queria falar um minuto com a Ana, em particular.

— E quem disse que ela quer papo com um Zé Ruela feito você? Ela só dá confiança pra gente como eu, que tem berço. Agora volta lá pro morro que é o teu lugar!

Foi preciso que um monte de gente que assistia à cena segurasse Pimenta, que queria partir para cima do filho do diretor do Vitoriosos. Pinguim e Piolho pediram calma ao amigo, mas ele não lhes dava ouvidos. Felipe Dante achou graça dos xingamentos do rival e fez questão de provocá-lo: quis dar um beijo em Princesa ali mesmo, na frente de todo mundo. Mas, para sua surpresa, a jovem desviou o rosto na última hora. Aquilo o deixou furioso.

— O que deu em você, Ana?

— Felipe, é que agora não é uma boa hora pra isso...

— Quem você pensa que é pra me rejeitar, garota? Ainda mais assim, na frente de um monte de gente? Ficou louca?

A S.U.P.E.R. Gincana

— Só acho que não tem clima pra gente ficar se beijando no meio dessa confusão.

— Escuta aqui: quem decide a hora de beijar sou eu!

— E quem decide a hora de *não* beijar sou eu. Fui clara?

O rapaz estremeceu ao ouvir as gargalhadas de quem estava por perto. Seus colegas de time e até seu irmão eram os que mais riam. Princesa até tentou contornar a situação, pediu que ele se acalmasse, mas o namorado lhe deu um safanão, mandando que ela o deixasse em paz, para depois sair dali apressado, sumindo de vista.

— Felipe?!? — gritou Princesa, quase indo ao chão.

Pimenta a segurou e quis saber se ela estava bem. A jovem se desvencilhou dele, furiosa.

— Viu só o que você fez, Beto?

— Mas o que foi que eu fiz?!?

— Não sei, só me deixa em paz!

Princesa também saiu correndo, em prantos. Peteca foi atrás da amiga.

— Está feliz agora, palhaço? Vê se faz uma coisa de útil: some daqui! — sugeriu Caio Dante, indo embora dali com o resto do time.

Sentindo-se perdido e envergonhado, Pimenta se voltou para os amigos e falou, num tom triste:

— Desculpa, gente, mas pra mim não dá mais. Não ponho mais os pés nesse lugar.

— Espera! Beto!

Quando Juliana chamou novamente por Pimenta, ele já estava longe. Seus amigos pensaram em correr atrás dele, mas acharam melhor deixá-lo esfriar a cabeça. Estavam todos muito cansados com tanta pressão.

— Será que nas edições passadas da gincana também foi tudo assim tão difícil para os alunos do São João? Essa escola tem um clima tão pesado...

— Sim, Juliana — explicou o professor Pedro, que aparecera do nada, surpreendendo seus alunos. — Sei exatamente o que vocês estão sentindo agora.

— Professor! O senhor viu o que acabou de acontecer aqui?

— Só vi o Beto sair correndo, mas posso imaginar o que houve. Toda gincana é a mesma coisa: os alunos do Vitoriosos se acham superiores e tratam os demais feito lixo. As brigas são constantes... É uma pena.

— Mas não é só isso: a gente também tem certeza de que esse diretor do mal está manipulando os resultados dos jogos! Só precisamos reunir provas...

— Olha, esse não é o primeiro ano da competição em que os alunos levantam suspeitas contra o Vitoriosos, mas ninguém jamais conseguiu comprovar nada. No fim a gente se dá conta de que conseguir provar um suposto esquema de trapaça não é o que realmente importa, sabe? E é por isso que o Roger faz questão de continuar participando da gincana todas as vezes, mesmo sabendo que o Vitoriosos tem essa postura altamente competitiva de querer ganhar sempre, não importa como.

— Mas as diretoras das outras escolas também aceitam isso? Por quê?

— Porque as duas também acreditam que um dia uma outra escola irá superar o Vitoriosos, jogando limpo. E quando esse dia chegar, teremos ensinado uma grande lição aos alunos daqui.

A S.U.P.E.R. Gincana

— Mas os alunos do São João que participaram da gincana anterior são frustrados por terem perdido! Conversei com vários deles e todos odiaram isso aqui...

— Ju, acredite, meus alunos saem desse torneio transformados.

— Sim, transformados em perdedores...

— Não, Zeca. Transformados em lutadores. Porque nada em nossas vidas vem fácil, crianças. É preciso correr atrás do que queremos, dar sempre o melhor de si e até mesmo superar algumas injustiças.

— Eu sei onde o senhor quer chegar, professor, mas já estou farta dessa gente que quer sempre "se dar bem". Isso está tão presente no dia a dia que todo mundo acha normal, só que não é. Não é certo alguém querer se beneficiar por ter muito dinheiro, ou por ser filho de alguém importante. Assim como não é certo, sei lá, furar a fila do cinema!

— Ei! Mas furar fila não tem nada a ver com trapacear na gincana, Pastilha! — contestou Piolho.

— Claro que tem! Lembra quando eu te disse lá na escola que era errado você ficar baixando músicas da Internet? É tão errado quanto o Vitoriosos roubar da gente na gincana, só que as pessoas só conseguem enxergar uma injustiça quando as vítimas são elas mesmas. É difícil se dar conta disso quando o prejudicado é o outro e os beneficiados somos nós.

— A Ju tem razão — disse Pedro. — Aproveitem enquanto vocês ainda são jovens para aprender a julgar o que é certo ou errado, porque depois que a gente vira adulto, fica muito mais difícil mudar a cabeça. Mas, por favor, não fiquem com essas carinhas tristes. Amanhã é o último dia da competição e vocês têm tudo para fazer bonito!

— Mas o Pimenta disse que não põe mais os pés aqui — lembrou Pinguim. — Se ele não vier para o jogo de amanhã, como é que vai ser?

— Bem, se ele não vier, perderá a oportunidade de ser o herói que a nossa escola tanto precisa — lamentou o professor.

Acompanhados pelos garotos do time de futebol do São João, Pastilha, Pinguim e Piolho se dirigiram aos portões do Vitoriosos.

— A gente está pensando em ir comer uma pizza aqui perto pra comemorar a vitória de hoje, estão a fim? — perguntou um dos zagueiros ao trio.

— Obrigada pela convite, mas nós temos um compromisso agora — falou Pastilha.

— Temos?

— Sim, Piolho, nós temos. A gente vai até a casa do Pimenta fazer ele mudar de ideia sobre essa história de não querer vir na gincana amanhã.

— Você não está falando sério, certo, Ju? — perguntou Pinguim. — Esqueceu onde ele mora?

— Eu sei que dizem que lá é perigoso. Mas a gente pega um táxi e manda o motorista esperar na porta. A gente precisa ter certeza de que ele vem amanhã ou vocês não terão a menor chance de vencer o Vitoriosos no futebol.

Capítulo 18
A Ladeira do Galo Preto

O táxi que levava o trio dobrou uma esquina e, após quase meia hora de viagem, chegou a um local deserto. A noite começava a cair e os postes de luz piscavam num ritmo esquisito. Quando o carro parou em frente a um barzinho, todos os clientes olharam para aqueles jovens passageiros, sem entender o que faziam ali. Com um semblante preocupado, o motorista do táxi olhou para trás e anunciou:

— Muito bem, crianças, é aqui a Ladeira do Galo Preto, mas eu já disse que não vou deixar vocês subirem aí de jeito nenhum!

— Mas eu já expliquei pro senhor que a gente precisa falar com o nosso amigo que mora aí! — choramingou Pastilha. — Se a gente não convencer ele a jogar amanhã...

— ...A escola de vocês vai perder a gincana! Escuta, eu já entendi quando vocês me falaram isso pela centésima vez, menina. Eu já não queria pegar essa corrida e agora *tô* até arrependido, porque eu mesmo nunca que iria trazer meus filhos pra essas bandas da cidade. Eu sei que aqui mora gente do bem, mas também tem muita gente ruim. Então me digam aí: qual é o nome desse amigo de vocês? Se souberem o nome dos pais dele melhor ainda. Vou perguntar aqui nesse bar se eles podem mandar chamar ele aqui.

— Olha, o nome dele é Roberto Teixeira. Acho que o pai dele se chama Ronaldo. A mãe eu sei que ele não tem mais...

O taxista bateu a porta do carro e foi até o balcão do bar perguntar pelo garoto.

— Acho bom mesmo a gente não subir aí. *Tô* morrendo de medo! — disse Piolho, todo encolhido no banco do táxi.

— Não sei onde eu estava com a cabeça quando concordei em vir até aqui com vocês — resmungou Pinguim. — A Ladeira do Galo Preto é barra pesada. Toda hora sai notícia violenta no jornal sobre esse lugar... Pelo menos esse taxista foi sensato em te proibir de sair por aí procurando pelo Pimenta, Ju.

— Pois se ele não fizer ele descer até aqui, eu juro que subo a ladeira atrás dele! Eu que não vou deixar ele fazer a burrada de não aparecer amanhã e dar esse gostinho aos bobões do Vitoriosos...

O trio colou os rostos no vidro do carro. Ficaram olhando para o taxista, que conversava com a dona do bar.

— Eu vi na TV que acharam dois corpos aqui perto outro dia — informou Pinguim.

— Você disse c-corpos, mano? Tipo, de gente q-que morreu?

— Pior: de gente que foi morta!

Piolho abriu a janela.

— Moço! Eu quero ir embora daqui!

— Para com isso, garoto! — ralhou Pastilha, batendo na mão do amigo. — Não vamos sair daqui sem falar com o Pimenta!

— Ele que se dane! Sou muito jovem pra morrer! Se me matarem aqui, a minha mãe me mata de novo quando descobrir que eu vim aqui escondido.

A S.U.P.E.R. Gincana

— E ela vai me matar quando souber que eu estava junto quando mataram a gente...

— Você dois querem parar de falar besteira? Estão me deixando nervosa!

— Ah, mas a ideia é exatamente essa.

Quando o taxista abriu a porta, os três gritaram ao mesmo tempo, aterrorizados.

— A dona do bar sabe quem é esse tal Roberto. Dei um dinheirinho pra um garoto daqui ir lá em cima chamar o amigo de vocês.

— Puxa, que gentileza, moço. Muito obrigada!

— Gentileza nada, menina. Vou incluir essa gorjeta no valor da corrida. *Tô* fazendo o que eu acho certo, mas também não sou santo.

Pastilha fez que ia responder, mas Pinguim lhe tapou a boca com a mão. Já estavam em apuros suficientes, não queria uma briga que pudesse irritar o motorista a ponto dele mudar de ideia e resolver largá-los ali sozinhos. Após alguns minutos, Pimenta apareceu no bar junto com o menino que o trouxera ali. Quando Beto olhou para seus amigos dentro do táxi, ele quase teve um treco.

— Pai do céu! O que *cês* vieram fazer aqui, seus doidos?!?

— Viemos convencê-lo a ir jogar amanhã! — disse Pastilha.

— Como é?!? Nem pensar! Já *tô* por aqui com essa gincana e com aquele colégio de gente metida e preconceituosa! Quero que tudo aquilo lá se exploda!

— Até a gente?

— Eu não disse isso....

— Ah, mas é o que parece. Se você não aparecer por lá e a gente perder no futebol? Como fica?

— Ju, eu não vou fazer nenhuma diferença. A gente já sacou que eles trapaceiam pra ganhar, não é? Então me deixem em paz!

— Mas o Paçoca vai virar essa noite tentando descobrir o segredo das tais super chuteiras. Se ele conseguir anular o efeito delas, você será decisivo no jogo de amanhã!

— Mas aquela gente não me quer lá.

— A gente quer, Pimenta. Isso já não basta?

O rapaz respirou fundo, nervoso. Todo mundo no bar acompanhava a conversa. Até o motorista do táxi queria saber no que é que aquilo ia dar.

A S.U.P.E.R. Gincana

— Você não vai fazer a gente ter vindo até aqui à toa, vai? — insistiu Pastilha.

— Vocês nem deviam ter vindo até aqui, pra começar. Se algo de ruim acontecesse, eu ia me sentir muito mal. Não voltem aqui nunca mais, ouviram bem?

— Mas...

— Moço, leva esses três pra casa, por favor. Aqui não é lugar pra eles. Só pra gente como eu.

— Beto, não fala assim! Você está sendo... — Pastilha levou um susto quando o táxi se pôs a andar. — Para, moço! Eu estou pagando pela corrida e eu não mandei o senhor andar com esse carro!

— Menina, o seu amigo *tá* certo. Esse lugar aqui não é pra crianças como vocês. Os garotos daqui sabem bem mais da vida como ela é do que vocês, vão por mim.

Juliana olhou para trás e chorou ao ver que Pimenta já lhes dera as costas e voltava para casa, subindo a Ladeira do Galo Preto. Seus amigos também estavam tristes. Não pela derrota certa no futebol sem Pimenta no time, mas pelo valor da corrida que o taxímetro marcava e que lhes tomaria a mesada inteira.

Capítulo 19
O S.U.P.E.R. Segredo

O trajeto de carro até sua casa pareceu levar uma eternidade para Paçoca. Seu pai nada dizia, o que era completamente estranho, pois o cientista adorava conversar com o filho. O menino também não puxava qualquer assunto, só fazia pensar em como faria para usar o laboratório de casa sem que seus pais ficassem perguntando o que ele estava fazendo.

A mãe de Paçoca serviu um jantar farto de gostosuras. Comer sempre fazia Paçoca pensar melhor. Ao olhar para o pai, percebeu que ele continuava tenso. Era hora de sondá-lo.

— Hoje eu li uma matéria no jornal sobre uma fraude que fizeram num concurso. A polícia descobriu o esquema e prendeu os culpados.

— É mesmo? — perguntou a mãe. — E como era a fraude?

— As pessoas que pagavam pelo esquema conseguiam entrar com celulares nas salas onde aconteciam as provas. Aí elas passavam as perguntas por mensagem e então outras pessoas envolvidas na armação resolviam as questões e mandavam as respostas. Pode isso?

— Que absurdo, filho! Imagina só: pagar para ter o gabarito de uma prova! Onde está o mérito nisso?

— E o que a senhora pensa de quem inventa uma fraude dessas e dá as respostas certas em troca de dinheiro, mãe?

A S.U.P.E.R. Gincana

— Esse tipo de gente tem que ir pra cadeia! Onde já se viu: vender o próprio conhecimento para dar vantagem a quem pagou e, com isso, prejudicar um monte de gente!

O pai de Paçoca engasgou com a comida e tossiu. Pegou um copo cheio de suco e o bebeu todo de uma só vez.

— Tudo bem, querido?

— Tudo bem, meu amor. É que eu engasguei com a sobremesa. Só isso.

— Pois é... Eu concordo com a mamãe. Também acho muito feio alguém usar do seu conhecimento para dar vantagem a alguém. É como se essa pessoa fosse um trapaceiro também, né?

O pai do menino engoliu em seco. Suas bochechas estavam ainda mais vermelhas do que o habitual, pareciam a ponto de explodir.

— Eu não estou me sentindo muito bem, querida. Acho que já vou me deitar...

— Nossa, mas está cedo ainda. A comida te fez mal?

— Não, não... É apenas um pouco de dor de cabeça. Só preciso descansar.

O pai subiu para o quarto. Dali a pouco a mãe deu boa noite ao filho, mandou que ele não ficasse vendo TV até tarde, e foi dormir. Paçoca fez um pouco de hora na sala e depois foi até o corredor. Ao ouvir os roncos dos pais, correu até o laboratório. Levou junto a mochila com as chuteiras e o tênis. Lá dentro, acendeu as luzes, lacrou a entrada e começou a trabalhar. Ligou o computador central e digitou uma série de comandos. Luzes começaram a piscar e telas se acenderam. Seu trabalho estava só começando.

151

Paçoca abriu sua mochila e quase teve um treco ao sentir o cheiro de podre que saía dali. Não demorou a descobrir que a origem do cheio era o chulé de Piolho impregnado em sua chuteira. Antes que perdesse a consciência, o menino abriu uma gaveta, apanhou uma máscara de gás e a colocou no rosto. Ufa!

Agora que estava seguro, o menino pegou a chuteira que Piolho afanara do vestiário do Vitoriosos e a colocou dentro de um aparelho grande, parecido com um microondas. Ao ligar o dispositivo, a chuteira foi imediatamente coberta por uma série de luzinhas verdes em formato quadriculado, que a varreram de cima a baixo. Terminado o processo, a imagem da chuteira apareceu no monitor em três dimensões.

O pequeno cientista teclou vários comandos que fizeram o computador listar todos os materiais usados na chuteira e

A S.U.P.E.R. Gincana

analisar o desenho das costuras. O projeto daquele calçado era brilhante: extremamente aerodinâmico e perfeito para aprimorar o desempenho do atleta. Aquilo o deixou orgulhoso de seu pai.

O garoto então varreu a internet atrás de artigos científicos sobre métodos de melhoria do desempenho esportivo. Leu tudo o que encontrou sobre as regras do futebol, analisou dados estatísticos sobre a performance de grandes jogadores, assistiu a vídeos de grandes jogadas que terminaram em belíssimos gols. Paçoca ia jogando no computador os dados que encontrava sobre esses lances, montando uma equação complicada que levava em conta a potência do chute, a velocidade de deslocamento e a trajetória da bola. O resultado dessa fórmula ele cruzou com os dados que havia coletado da chuteira. Ao final, a tela apresentou dados impressionantes. O menino soube que estava diante de uma verdadeira obra-prima.

— Essa chuteira foi feita para ganhar — ele disse para si mesmo. — Só que ainda falta algo. Uma coisa é melhorar a performance do atleta, outra é fazer ele chutar a bola com curvas sempre precisas e certeiras como eu vi acontecer. Isso vai muito além do que uma simples chuteira seria capaz de fazer, por mais moderna que ela fosse.

— A não ser que... Humm...

Paçoca olhou para o relógio e suspirou ao ver que já eram quase duas da manhã. Ele estava empolgado demais com tudo aquilo para parar agora.

— É hoje que eu não durmo.

Ele pegou um estilete e fez um corte na lateral da chuteira; a mesma que ele deveria devolver intacta dali a poucas

153

horas. Levantou o tecido, a borracha e a espuma. Então percebeu que havia um pequeno volume escondido acima do solado de borracha. Apanhou uma pinça e puxou o tal objeto com o máximo de cuidado.

Era um microchip.

— Eu sabia que tinha que ter algum segredo escondido!

O tempo era seu inimigo agora. Precisava extrair e analisar o código guardado naquele microchip a qualquer preço. Paçoca conectou o chip ao computador e rodou um programa que ele mesmo havia criado para quebra de criptografia. Como o processo demoraria alguns minutos, ele aproveitou para pegar uma super cola e começou a colar cada pecinha da chuteira de volta no lugar. Exceto o chip, é claro. Esse ele deixaria bem guardado com ele. No mínimo era uma chuteira a menos dando vantagem ao time do Vitoriosos.

Ele então fez o mesmo com a chuteira de Piolho, mas, para sua surpresa, não encontrou chip algum escondido dentro dela. E nem no tênis de Peteca.

— Hum, isso está ficando cada vez mais interessante.

O computador emitiu um alerta sonoro. Dera certo! O segredo que ele procurava estava bem diante de seus olhos, piscando na tela.

"PROJETO S.U.P.E.R."

Paçoca mal respirava de tão empolgado que estava. Ele apontou o cursor para o nome que brilhava no monitor e clicou. Um novo texto apareceu.

"Sistema de Ultra Performance Esportiva Remoto."

A coisa toda começava a ganhar sentido. O código desenvolvido por seu pai para aperfeiçoar as chuteiras se revelou

A S.U.P.E.R. Gincana

diante dele. E o menino ficou assombrado com o que viu. Estudou cada linha de código e compreendeu o que cada uma fazia. Cruzou essas novas informações com o que já havia coletado e chegou à seguinte conclusão:

— Qualquer pessoa usando esse chip vira uma máquina de fazer gols. Mas ela não será capaz de fazer isso sozinha...

O menino leu em voz alta o nome da tecnologia criada pelo pai.

— Sistema de Ultra Performance Esportiva Remoto. Remoto? Humm...

Paçoca se lembrou dos estranhos óculos que Magno Dante havia usado durante o jogo entre São João e Vitoriosos e da forma bizarra como ele parecia estar pressionando botões nele.

— Um jogador usando esse chip nos pés precisa ser controlado por alguém de fora. É como num videogame! Só que com gente de verdade...

O menino olhou para o relógio e levou um susto com a hora. Tratou de costurar correndo a chuteira de Piolho e o tênis de Peteca. Apagou tudo o que havia pesquisado, guardou o microchip, desligou o computador e as luzes.

Paçoca saiu do laboratório exatamente às 5:30 da manhã, caindo de sono. Subiu as escadas e trombou com o pai no corredor. Sorte que o chip, as chuteiras e o tênis estavam todos escondidos dentro da mochila que ele levava nas costas. E mais sorte ainda ele teve do pai estar com tanto sono que nem percebeu que o filho andava de mochila pela casa em plena madrugada.

— O que houve, filho? Uááááá... — quis saber o homem, em meio a um bocejo.

155

— E-eu s-só fui até a cozinha beber água. Estava com sede.

— É o que eu estava indo fazer agorinha mesmo. Boa noite, filho... Zzzzzz...

O homem desceu as escadas aos tropeços e Paçoca correu para seu quarto. Ele pôs o relógio para despertar às 7h, já que a final de xadrez contra Pinguim seria às 8h. Ele ficou olhando para o relógio, desanimado, vendo que dormiria pouco mais de uma hora. Então lembrou que o jogo de futebol contra o Vitoriosos seria somente à tarde e que precisava estar descansado para defender seu projeto de ciências, a máquina Chove-Chuva, pela manhã.

Paçoca reprogramou o despertador para acordá-lo às 9h. Antes de dormir, o menino lembrou de ligar seu *notebook* e enviar um e-mail para Pastilha.

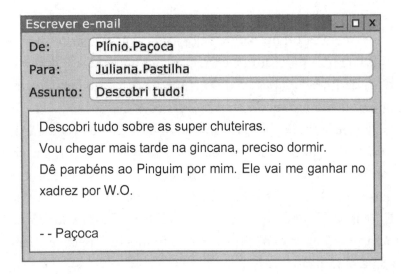

Capítulo 20
Sabotagem

Pastilha e Piolho estavam no auditório onde seria realizada a final de xadrez, o primeiro evento do último dia de gincana. Os alunos do São João lotavam o lugar, uma vez que, independente do resultado, aquela já era uma vitória certa para a escola. Pinguim estava a postos, mas nada de Paçoca aparecer. Os juízes já estavam impacientes.

Pastilha recebera a mensagem do amigo inventor e já havia avisado Pinguim de sua vitória. O garoto ficara desapontado com a notícia, pois queria muito disputar aquela final com seu colega, de igual para igual.

— Uma pena o Paçoca não poder vir, mas sei que foi por uma boa causa. Estou tão ansiosa para saber o que ele descobriu!

— É...

Pastilha percebeu o desânimo na voz de Piolho.

— Ei, está tudo bem com você?

— Tudo. A gente vai perder a gincana, mas *tá* tudo ótimo...

— Não fala assim, Piolho! Andei estudando o andamento das competições até o momento e a situação não está tão ruim para o São João, vai. Os resultados de várias modalidades saem hoje e acho que ainda conseguimos terminar em segundo...

— E quem se importa com o segundo lugar? Não vamos levar aquela taça de ouro sinistrona pra nossa escola por isso...

— Como assim? Ficar em segundo lugar seria um ótimo resultado também! E lembra que ainda existe a possibilidade de conseguirmos provar que fomos trapaceados. Aí, tudo pode acontecer.

— Ah, tá. A gente pode até conseguir provar tudo, mas eu duvido que alguém vá acreditar. O diretor do Vitoriosos manda e desmanda nessa gincana. Nem sei o que a gente está fazendo aqui. O Pimenta é que fez bem de ficar em casa.

Pastilha pensou em responder, mas desistiu. Ela compreendia a frustração do amigo, mas se recusava a desanimar.

Um dos juízes olhou para o relógio e, como Paçoca não apareceu, anunciou a vitória de Pinguim. A torcida comemorou do mesmo jeito, mas muitos se mostraram frustrados, pois queriam ver o embate entre aqueles dois grandes enxadristas. Pastilha, Piolho e Pinguim deixaram o auditório cabisbaixos.

— Meninos, daqui a pouco tem a demonstração do invento para a prova ambiental. Estou com medo do Paçoca ter esquecido e não aparecer. Por acaso algum de vocês sabe operar aquela bendita máquina de fazer chover?

— É mais fácil chamar um índio pra fazer a dança da chuva do que a gente conseguir usar aquela coisa — falou Piolho. — Se o Paçoca não aparecer, já era. Mas também, que diferença isso ia fazer? Provavelmente algum projeto do Vitoriosos é que deve ganhar mesmo...

— Vira essa boca pra lá! Anda, vamos para a sala de exposições. Lá a gente improvisa.

— Vai na frente com o Pinguim. Vou lanchar alguma coisa e encontro com vocês lá...

— Como é? R$20,00 por um salgado e um *refri?* — protestou Piolho, na lanchonete do Vitoriosos. — Enlouqueceu, foi?

— Se não pode pagar, não pode comer — respondeu o atendente.

— Mas esse preço é um roubo!

— Garoto, se você quer comer na escola mais cara da cidade, tem que pagar por isso. Se achou caro, vai lá fora e lancha em outro lugar. Simples assim.

Piolho saiu da lanchonete xingando a tudo e a todos. Odiava a gincana. Odiava aquela escola. Por ele, aquele lugar poderia ser tragado pela terra que não faria a menor falta. Caminhou até o portão de saída disposto a ir embora para casa passar o dia inteiro jogando videogame. Não se importava com o que seus amigos iriam achar. Estava cansado e disposto a jogar tudo para o alto.

Quis o destino que ele cruzasse com Paçoca no caminho. O menino gênio acabara de entrar na escola e corria o mais rápido que seu barrigão lhe permitia.

— Piolho, era você mesmo quem eu queria encontrar! Toma, aqui está a sua chuteira e essa outra aqui você precisa devolver lá no vestiário do Vitoriosos. Mas tenha cuidado!

— Eu não vou. Leva você. Pra mim chega.

— Como é? O que foi que aconteceu?

— Vou pra casa fazer alguma coisa útil, como zerar aquele *game* que eu *tô* jogando. O Vitoriosos vai ganhar essa gincana com ou sem essa chuteira.

— Mas e se eles descobrirem que ela sumiu...?

— Eles devem ter umas vinte dessas pra cada jogador, não vão dar falta de uma. Agora me dá licença que eu tenho mais o que fazer.

Paçoca ficou ali vendo o amigo ir embora, desesperado. Precisava agir rápido.

— Eu descobri o segredo das super chuteiras, Piolho!

— Bom garoto, vai ganhar um biscoito da tia Pastilha...

— Você não quer saber qual é o segredo?

— Hummm, deixa eu pensar... Não!

— E se eu te disser que habilitei o modo "super" na sua chuteira? E que usando ela no jogo de hoje você vai fazer mais gols do que o Pelé em toda a carreira dele?

Piolho parou. Voltou-se para o amigo inventor, encarando-o com desconfiança.

— É sério isso?

— Sim! Eu passei a noite toda trabalhando nela.

— E você consegue alterar todas as outras chuteiras do time do São João a tempo?

Paçoca suava frio. Detestava ter que mentir e ficou com medo da proporção que uma mentira muito grande poderia tomar. Resolveu recuar um pouco.

— N-não acho que daria tempo. Vamos ter que contar só com você fazendo a diferença no time hoje.

— Mas vai ser só eu contra um time inteiro usando essas coisas?!? E você alterou a chuteira de um pé só. E o outro, como fica?

— Esquece o outro pé, com um só já funciona. Você não gosta de desafios, Piolho? Vai ser melhor do que zerar qualquer *game*... Além do mais, você já é naturalmente melhor do que aqueles pernas-de-pau. Usando a chuteira, então, vai passar por cima do outro time que nem um rolo-compressor!

Os olhos de Piolho brilhavam enquanto ele se imaginava como o grande herói da partida contra o Vitoriosos, sendo carregado pela torcida e ganhando bitocas das animadoras de torcida, que faziam fila para tirar fotos com ele.

— Me dá essas chuteiras aqui. Vou lá no vestiário inimigo devolver essa que eu peguei de lá ontem. Não vai ser fácil, mas essa gincana precisa de heróis.

— Não sei o que seria da gente sem você!

— Há! Eu também não sei o que seria de vocês sem mim.

Piolho saiu correndo para o ginásio. Paçoca bufou e foi em direção ao prédio principal torcendo para chegar a tempo da apresentação.

Pastilha e Pinguim estavam ao lado da máquina Chove-Chuva e diante dos avaliadores que escolheriam o melhor projeto ambiental. Ambos se mostravam aflitos, improvisando para ver se Paçoca chegava a tempo de fazer a demonstração. A menina enrolava ao máximo na apresentação enquanto Pinguim só fazia suar, sem abrir a boca.

Otto Bengel assistia a tudo junto com outros colegas do Vitoriosos. O bando fazia piadas e ria muito durante a fala de Juliana, sem que nenhum professor deles os repreendesse. O professor Pedro volta e meia mandava que fizessem silêncio, mas eles simplesmente o ignoravam. Aquilo vinha irritando a menina, fazendo com que ela se atrapalhasse um pouco com as palavras.

Quando Paçoca chegou ao salão de exposições, Pinguim e Pastilha mal conseguiram disfarçar o alívio que sentiram. A garota imediatamente apresentou o colega aos avaliadores e passou a palavra a ele. O menino gênio pediu desculpas pelo atraso e tratou de explicar o funcionamento da Chove-Chuva. Ligou o aparelho e aguardou. Dali a pouco um vapor começou a sair do tubo da máquina, mas Paçoca logo detectou que havia algo errado, pois a quantidade de vapor que saía era muito pequena e, naquele ritmo, jamais formaria uma nuvem de chuva.

O menino apertou alguns botões, mas nada parecia adiantar. Os jurados olhavam aborrecidos para Pastilha, que não sabia onde enfiar a cara. Pinguim suava tanto que um dos cartazes que ele estava segurando se desfez em pedaços.

A Chove-Chuva começou a emitir um zumbido estranho. Paçoca lamentava profundamente não ter chegado mais cedo para testar a máquina, mas ele havia verificado tudo no dia anterior e sabia que estava tudo bem. Olhou para Otto Bengel e viu que o rival sorria de forma vilanesca. Era muito fácil entender o que estava acontecendo ali.

Eles haviam sido sabotados.

Paçoca perdera o controle do aparelho, que agora tremia e pulava feito uma máquina de lavar defeituosa. Horrorizado, pediu a todos que se afastassem. Foi então que a Chove-Chuva emitiu um chiado forte e finalmente explodiu, lançando uma nuvem de poeira em todo mundo.

— Mas que absurdo! Cof! Cof! — protestou um dos jurados, afastando a fumaça com as mãos. — Como é possível uma coisa dessas?

— Não sei o que aconteceu, a máquina estava funcionando bem ontem! Se puderem aguardar só mais um pouco, eu posso tentar verificar e...

— Não vamos esperar nem mais um segundo! Sumam da nossa frente, vocês estão desclassificados!

Arrasados, Paçoca, Pastilha e Pinguim foram para perto do professor Pedro, que tentou animá-los, mas sem sucesso. O próximo grupo a ser chamado pelo júri foi o "grupo" formado apenas por Otto Bengel, que esbanjava confiança.

— *Agorra* vocês verrão o que *serr* um *aprresentaçón* de *verrdade!* Conheçam *"der Regenmacher"*!

Paçoca se irritou com a provocação, mas ficou quieto. Preferiu gastar seu tempo abrindo o que havia restado de sua máquina ali mesmo, para tentar descobrir o que havia acontecido. Enquanto isso, o alemão colocava sua ridícula tiara na cabeça. Ao ligar sua máquina, uma nuvem carregada de chuva logo se formou, para espanto de Pastilha, que fora testemunha do desastre que era a máquina de Otto dois dias antes.

Usando o controle mental proporcionado pela tiara, o alemão conseguiu fazer a nuvem de chuva se mover como se ela fosse um carrinho de controle remoto. Chegou a brincar com os avaliadores, ameaçando molhá-los e provocando risos em todos. O público aplaudiu a apresentação e deu como certa a vitória do Vitoriosos naquela modalidade.

Paçoca vasculhou o interior de sua máquina e notou a ausência de vários componentes. Aborrecido, sussurrou para Pastilha:

— Fomos roubados.

— O quê? Como assim?

— Olha, Ju! Estão faltando componentes da nossa máquina! Mudaram fios de lugar, mexeram em tudo aqui. Isso é sabotagem.

Paçoca e Pastilha olharam para Otto Bengel, que estava todo feliz, colhendo os louros de sua apresentação. Furiosos, os dois se levantaram e foram até o júri. Foi Juliana quem fez a denúncia:

— Fomos sabotados! Nosso equipamento foi alterado e isso invalida o resultado!

Os juízes pediram calma à jovem e chamaram o professor responsável pelo projeto. O professor Pedro disse que a acusação era muito grave e lembrou que a máquina Chove-Chuva sempre funcionara perfeitamente. Mas a explicação não convenceu os juízes, que insistiram que não havia provas de sabotagem, podendo ser um mero defeito do aparelho.

A S.U.P.E.R. Gincana

— Vocês querem uma prova? — perguntou Paçoca, já sem paciência. — Vamos abrir a máquina do "campeão" aí. Vamos ver se as peças que estão faltando não foram "milagrosamente" parar na máquina do Otto, que nunca funcionou direito e que agora, de uma hora para a outra, ficou perfeita.

— *Absurrda!* Você me *acusarr* de roubo! Eu vai *prrocessarr* você e seu escola, seu...

Num movimento ágil, Pinguim arrancou o invento da mão de Otto e o entregou a Paçoca, que sacou uma chave de fenda e começou a abrir a máquina de fazer chover do rival. Pastilha, Pinguim e até o professor Pedro tiveram que segurar os alunos do Vitoriosos e os juízes. A confusão envolveu até mesmo os alunos das outras escolas que vieram ajudar Paçoca, pois todos também já estavam fartos do Vitoriosos.

O menino gênio abriu o invento do alemãozinho e vasculhou tudo. Mas o que viu ali dentro o desanimou: não havia uma só peça que tivesse sido retirada de sua máquina. Todos os componentes eram novinhos em folha, enquanto os que ele havia usado para construir sua máquina eram sobras de outros equipamentos. Contudo, o menino notou que a tecnologia usada ali era muito parecida com a sua, porém aperfeiçoada. Sem graça, ele admitiu:

— Não tem peças da nossa máquina aqui... Mas é a mesmíssima tecnologia! Fomos roubados e pronto!

— Eu não *roubarr* nada! Eu vai *prrocessarr* vocês *porr* calúnia e *difamaçón!*

— Solicito ao júri que adie a escolha do projeto vencedor, pois essa história precisa ser esclarecida — pediu o professor Pedro, encarando os avaliadores.

165

— Não há o que esclarecer aqui — determinou o mais impaciente dos juízes. — O invento do aluno do Vitoriosos funcionou e o do São João não. Pior: o seu aluno fez acusações sem ter provas, roubou e destruiu o invento dele; não podemos compactuar com isso!

— Mas é que..

— Cale-se, professor! — bradou o juiz, que se voltou para Otto Bengel. — Parabéns ao aluno do Vitoriosos, vencedor na modalidade "projeto ambiental". Por favor, conserte a sua máquina e a leve lá para fora. Deixe-a ligada na entrada do ginásio; isso fará muito sucesso com o público que vier assistir à final da gincana. Afinal, não é todo dia que vemos uma nuvem de chuva assim de perto. Sendo o projeto vencedor feito por um aluno do Vitoriosos, melhor ainda!

Pastilha, Paçoca e Pinguim protestaram. Não estavam sozinhos: os alunos das demais escolas e o professor Pedro também pediram a revisão daquele resultado, mas foram voto vencido. Otto Bengel apenas ria da desgraça de todos eles.

— *Melhorr sorrte* do *prróxima* vez, *perrdedorres! Agorra*, corram, que já está quase no *horra* da jogo de futebol! Mal posso *esperrar parra verr* a time de vocês *perrdendo* de novo *parra* o *Vitorriosos!* HA, HA, HA!

— Não acredito! — gritou Pastilha, quase explodindo de raiva. — Todo mundo aqui beneficia os alunos do Vitoriosos! Os juízes nem quiseram ouvir a gente. Vou escrever uma matéria na Página Pirata denunciando tudo o que aconteceu aqui e vou espalhar em todas as escolas. Isso não vai ficar assim, não vai!

A S.U.P.E.R. Gincana

— Calma, Ju — falou Paçoca, num tom mais calmo. — Podemos não ter provas sobre essa sabotagem, mas tenho aqui comigo a maior de todas as provas da trapaça que está acontecendo nessa escola.

O menino mostrou o microchip que guardara no bolso e fez a revelação:

— Achei esse chip dentro da super chuteira do aluno do Vitoriosos. Já a chuteira do Piolho e o tênis da Peteca não tinham nada dentro. Curioso, não?

— Caramba! — espantou-se Pinguim. — E o que ele faz?

— Vamos correr lá para o ginásio e lá eu conto tudo. Mas por favor, quando eu contar a verdade sobre o chip, não deixem o Piolho me bater. Eu tive que inventar uma mentirinha para convencê-lo a continuar na gincana... Ele não vai gostar.

— Pode deixar, Paçoca. Qualquer um que faça o meu irmão de trouxa pode contar comigo para qualquer coisa. He, he, he...

Capítulo 21
Um Time Desfalcado

Pastilha, Pinguim e Paçoca entraram no ginásio passando por entre os torcedores que chegavam para assistir ao último evento esportivo do torneio: a final de futebol masculino entre São João e Vitoriosos. Lá o trio topou com Peteca, que também havia acabado de chegar. Estava desolada.

— Que cara é essa, Vivi? Aconteceu alguma coisa?

— Ai, Ju... A gente perdeu feio na final do basquete para o Vitoriosos. Estava tudo indo bem no começo do jogo e, do nada, elas conseguiram virar e aí foi uma lavada. Não sei o que deu naquelas garotas, pareciam atletas olímpicas!

— Fica calma... No fim a gente vai conseguir virar a mesa.

— Como assim, Ju? Não viu os resultados das finais de hoje?

— Er... Na verdade, não tive tempo de ver nada...

— Vocês não estão sabendo que o Vitoriosos já ganhou a gincana?

— Como é? Mas ainda vai ter o jogo de futebol! E tem também a animação de torcida e o resultado das modalidades culturais: Redação, Matemática e Quadrinhos...

— Não adianta, gente. O Vitoriosos já levou o ouro em 7 modalidades esportivas. O Estrela Azul conseguiu 3 medalhas, uma no xadrez feminino e as duas de natação. A gente só ganhou no xadrez masculino. Pelo menos estamos melhor que o Riso Feliz, que não ganhou nada...

A S.U.P.E.R. Gincana

Pastilha, Pinguim e Paçoca sentiram como se alguém tivesse jogado um balde de água fria neles. Foi quando a voz do narrador explodiu dos auto-falantes:

— *Senhoras e senhores, dentro de meia hora terá início a grande final do futebol masculino da VI Gincana Interescolar de Vale Prateado! E a expectativa é alta para ambos os times. O Vitoriosos, líder isolado no quadro de medalhas, já garantiu o primeiro lugar do torneio!* — A torcida reagiu com gritos entusiasmados e aplausos. — *A disputa agora é pelo segundo lugar. Quem será que leva? Estrela Azul ou São João? Vocês acham que o time de futebol do Vitoriosos vai facilitar hoje e dar uma forcinha para o São João?*

— NÃÃÃO!!! — respondeu a maioria do público presente, formado essencialmente por alunos do Vitoriosos e seus pais.

— *E a torcida do time da casa compareceu em peso ao jogo de hoje! Não é pra menos, o resultado dessa gincana é sempre o mesmo: é com vitória do Vitoriosos!*

— Estou impressionada com a imparcialidade desse locutor — ironizou Pastilha.

Paçoca sabia que o tempo era curto e tratou de convocar uma reunião da Página Pirata. Pinguim conseguiu arrancar Piolho de dentro do campo e Peteca tirou Princesa do aquecimento que fazia antes de sua última apresentação.

— Piolho, conseguiu devolver a chuteira que deixei com você?

— Lógico, Paçoca! Foi tenso entrar no vestiário inimigo, mas ninguém me viu.

— Ótimo. E temos algum sinal do Pimenta?

— Nada ainda. Ele deixou o nosso time na mão mesmo...

— Isso é bem típico dele — alfinetou Princesa.

— Vamos deixar isso pra lá — pediu Pastilha. — Vocês viram o que o locutor disse: o Vitoriosos já ganhou a gincana.

169

Mas se a gente conseguir provar que houve trapaça, talvez a gente consiga anular alguns dos resultados deles e, quem sabe, virar esse jogo. Mas estamos em minoria e vigiados por todos os lados, então todo cuidado é pouco!

— O que eu quero saber é sobre esse chip bizarro que você encontrou na super chuteira, Paçoca — lembrou Pinguim. — Conta aí tudo o que você descobriu.

— Chip? Você não me falou nada de chip — quis saber Piolho, empolgado.

O menino gênio mostrou o microchip e contou como ele fora projetado para permitir ao jogador realizar lances perfeitos e dar chutes sempre certeiros.

— Foi isso aí que você botou pra funcionar na chuteira que eu vou usar hoje?

— Na verdade, não, Piolho... — confessou Paçoca, sem jeito. — A sua chuteira sequer veio com um desses chips, o que deixa ainda mais evidente o objetivo de quem está por trás de toda essa trapaça.

— Mas você me disse que usando ela eu seria o herói da partida e...

— Ele mentiu pra você, mané — cortou Pinguim. — Se não tivesse feito isso, você tinha era voltado pra casa e deixado o nosso time na mão!

Indignado, Piolho cruzou os braços e se pôs a resmungar, mas ninguém lhe deu atenção. O pequeno cientista retomou o discurso:

— E sabem o que mais eu descobri? Que o nome dessa tal tecnologia S.U.P.E.R. é uma sigla que quer dizer "Sistema de Ultra Performance Esportiva Remoto".

A S.U.P.E.R. Gincana

— Sistema remoto? Então é isso: os óculos! — lembrou Pastilha, assombrada. — Na primeira partida de futebol eu vi o diretor do Vitoriosos apertando uns botões nos óculos que ele estava usando. Eu já tinha achado aquilo meio suspeito, mas agora tudo faz sentido: ele estava controlando os jogadores do time dele à distância, acertei?

— Precisamente.

— Calma aí — interrompeu Princesa, confusa. — Vocês estão dizendo que as chuteiras que o meu pai fabricou têm um chip dentro delas que controla os jogadores? Ficaram doidos de vez, foi? O meu pai nunca faria uma coisa dessas!

— O meu pai também está envolvido nisso, então estou tão chocado quanto você. Mas eu virei a noite estudando essas chuteiras e afirmo com todas as letras: elas foram feitas para favorecer o time do Vitoriosos na gincana. E tem mais: tenho certeza de que se eu pudesse colocar as mãos em outros equipamentos esportivos usados por eles em outras modalidades, a gente encontraria chips parecidos.

— Eu sabia que tinha coisa errada! — revoltou-se Peteca. — Mesmo a gente jogando pra caramba, as alunas do Vitoriosos eram sempre mais rápidas e mais habilidosas. Não foi à toa que a escola venceu em *todas* as modalidades esportivas até agora, tirando o xadrez e a natação.

— Esses chips devem dar problema na água! — concluiu Piolho. — Quando eu digo que água faz mal ninguém acredita...

— Gente, calma! — pediu Pastilha. — Também não podemos afirmar que eles estão trapaceando em tudo. Essa escola é conhecida por formar, além de alunos brilhantes, grandes atletas. É só olhar pra infraestrutura esportiva deles e ver o quanto levam isso a sério. Nosso foco deve ser em tentar reunir provas que comprovem o que gente descobriu.

— Ué, por que a gente simplesmente não mostra esse chip pro diretor Roger? — sugeriu Pinguim. — O Vitoriosos perde os pontos que ganhou e pronto.

— E você quer apostar quanto como a organização da gincana vai dizer que a gente está imaginando coisas e nos mandar ficar quietos? Acabou de acontecer lá na exposição de projetos ambientais. Fomos sabotados, reclamamos e ninguém fez nada. Estamos sozinhos nessa!

— Mas então, como a gente vai provar esse esquema de trapaça, Ju? — perguntou Peteca, indignada.

— Precisamos convencer algum dos envolvidos no projeto das super chuteiras a fazer o que é certo e confessar tudo. Pode ser o pai de qualquer um de vocês três.

— Já disse que o meu pai não tem nada a ver com isso! — berrou Princesa. — Ele nunca ia botar a reputação da empresa dele em risco só por causa de uma gincana escolar.

— Nem o meu — falou Peteca. — Ele é ex-atleta, nunca ia assinar equipamentos esportivos que servissem pra trapacear.

Todos olharam para Paçoca.

— Nem precisam falar nada. Eu tenho certeza que o meu pai está envolvido nisso até o pescoço.

— Não só ele está envolvido como me parece bem aborrecido também. Olha lá, gente! — disse Pinguim, apontando para o outro lado da arquibancada.

Todos viram que o pai de Paçoca discutia com o diretor do Vitoriosos na tribuna de honra. O cientista apontava para o céu, que começava a ficar carregado de nuvens escuras.

A S.U.P.E.R. Gincana

Mostrava-se preocupado, mas Magno Dante simplesmente mandou que seus seguranças o levassem para longe dali. Ameaçado por uma dupla de trogloditas, o inventor saiu correndo e foi se sentar sozinho no alto da arquibancada.

— Bem, se alguém aqui consegue arrancar uma confissão do meu pai, esse alguém sou eu — falou Paçoca, determinado.

— Você não está sozinho nessa. Vou lá com você — se ofereceu Pastilha.

— E eu também — disse Peteca.

— Eu e o meu irmão temos um jogo pra ganhar — lembrou Pinguim.

— E eu uma torcida pra animar — falou Princesa, balançando os pompons.

— Então eu acho que é isso, gente, cada um já sabe o que deve fazer.

— Pode deixar, chefa. A gente sabe direitinho o que fazer — falou uma voz atrás de Pastilha.

Ela se virou e abriu um baita sorriso ao ver Pimenta.

— Não acredito!!! Você veio!

— Desculpa, gente. É que o ônibus quebrou no caminho... Foi dureza chegar aqui.

— E você *tá* bem, cara? — perguntou Piolho.

— *Tô* ótimo. E foi mal por ontem, galera. Só hoje de manhã eu me dei conta de que não aparecer na final seria bancar o covarde. E eu não ia dar esse gostinho praqueles gêmeos metidos.

— Olha, não temos tempo de te explicar tudo o que está acontecendo, mas só te digo isso: dá o teu melhor, Beto!

173

— Tranquilo, Ju! Mas podem só me dizer o que é que um aluno do Vitoriosos *tá* fazendo com uma máquina de fazer chover parecidona com a nossa lá na frente dos portões do ginásio? Ele fez uma nuvem de chuva gigante; geral *tá* comentando, todo mundo impressionado.

— Ah, aquele Otto enganador... Tenho certeza que ele deu um jeito de analisar a Chove-Chuva e roubou o meu projeto! Tomara que exploda tudo na cara dele.

— Não temos tempo pra lidar com o Otto agora. Vocês têm um jogo pra ganhar e nós temos que arrancar uma confissão. Até mais!

Todos se deram tchau e foram cuidar das missões de cada um. O milagre da virada do São João agora só dependia do esforço de todos eles.

O treinador Chicão quase teve um treco ao ver Pinguim, Pimenta e Piolho do lado de fora do campo e mandou que entrassem imediatamente.

— Como assim, não tem time pra jogar, professor? — perguntou Pimenta, incrédulo. Além dele, Pinguim, Piolho, Marcus e o goleiro Girafa havia apenas mais três jogadores do São João presentes.

— Está vendo seus colegas aqui, Beto? — quis saber o técnico Chicão, que estava prestes a arrancar os cabelos. — Liguei para a casa deles e descobri que os garotos foram numa pizzaria ontem e estão todos passando mal!

— Caramba! E eles chamaram a gente pra ir também, pra comemorar a vitória de ontem! — lembrou Piolho. — Disseram que iam numa pizzaria aqui do lado.

— Conheço o lugar. Mas como isso é possível? — estranhou o preparador físico do time. — A pizza de lá é uma das melhores da cidade. O dono ficou tão rico que botou os filhos dele pra estudar aqui.

— É sério que o dono da pizzaria é pai de aluno do Vitoriosos? — assombrou-se Pinguim. — Então está tudo explicado: envenenaram as pizzas!

— Que é isso, Léo — ralhou o treinador. — Não fala besteira. Ninguém seria capaz de fazer uma coisa dessas.

— Imagina... Mas o que a gente faz só com oito jogadores? — contou Girafa. — Isso não dá nem um time! E ainda temos que ter os reservas!

— Vou convocar os alunos que estão aí na torcida — disse o treinador. — Ficar sem jogar é que a gente não vai. As regras da gincana permitem fazer essa convocação de última hora, se for necessário. Só preciso falar com o juiz primeiro.

— Isso não vai prestar... — pressentiu Piolho.

Com o ginásio lotado e faltando pouco para o jogo começar, foi anunciado no sistema de som que o time do São João estava desfalcado e que para que o jogo pudesse acontecer, os alunos da escola dispostos a jogar deveriam se voluntariar. Muitas risadas se ouviram do lado da torcida do Vitoriosos. No campo, Caio e Felipe Dante provocaram os poucos garotos do time adversário que haviam aparecido para jogar:

— Os coleguinhas de vocês ficaram com medo, foi? Bando de frangotes... Pelo menos vocês foram machos o suficiente pra vir até aqui. Vão perder do mesmo jeito, mas com alguma dignidade.

— Sim, uma coisa que você não tem — devolveu Piolho.

Felipe apenas riu, sem se deixar abalar com a resposta.

Ouviu-se uma nova convocação no auto-falante. Os alunos do São João se voluntariavam timidamente. A maioria dos que estavam na arquibancada olhava para os lados, fingindo que nem estavam ouvindo a convocação.

— *Vamos lá, alunos do São João. Falta só mais um para formar um time completo e começar a partida!*

— Que raiva de vocês, garotos! Ninguém aí tem peito pra ir até lá defender a nossa escola, não? — gritou Pastilha no meio de sua torcida.

— Cala essa boca, pirralha! — gritou um grandalhão. — Ninguém aqui quer ser do time que vai sair humilhado dessa gincana. Os que estão lá no campo que se virem.

— Bando de egoístas... — murmurou Pastilha. — Anda, Paçoca, deixa que eu e a Peteca falamos com o seu pai. Você tem que ir lá pro campo.

— EU?!? E eu lá sei jogar futebol? Se eu corro três passos ali dentro, eu caio mortinho, estirado no chão!

— Não importa! Você honra o uniforme que está vestindo e vai lá ficar no banco. Se não tiver alunos suficientes para começar a partida, a gente vai ser eliminado. Vai lá e fica sentadinho.

— Mas... Mas...

— Anda!

A S.U.P.E.R. Gincana

O menino gênio olhou para o campo e engoliu em seco, aterrorizado. Enfiou a mão na mochila e tirou dali um objeto que entregou à Pastilha.

— Coloca isso no ouvido. É um comunicador. Assim a gente vai conseguir se falar. Quero ouvir toda a conversa com o meu pai, entendeu?

— Plínio, você é mesmo cheio de surpresas. Agora corre, o seu time precisa de você!

— Eu realmente espero que não...

Paçoca entrou em campo sob muitas risadas. O técnico Chicão olhou para aquele menino baixinho e gorducho e ficou algum tempo sem entender o que ele fazia ali. Foi preciso que Paçoca explicasse:

— Treinador... Eu vim aqui para ajudar o nosso time.

O queixo de Chicão caiu. Mas depois o homem sorriu.

— Parabéns, garoto. Obrigado por sua coragem.

O pequeno cientista estava tão nervoso que nem disse mais nada. Foi correndo sentar no banco para aguardar o início da partida. Ele levou a mão ao ouvido e falou:

— Está me ouvindo, Pastilha?

— Sim, eu te escuto como se você estivesse aqui do meu lado, Paçoca.

— Que bom. Só queria dizer que eu te odeio.

— Ha, ha, ha. Eu também gosto de você. Estou vendo o seu pai aqui em cima. Vou lá falar com ele. Qualquer coisa, eu grito.

— Gritar é o que eu mais vou fazer se tiver que entrar nesse campo.

Capítulo 22
A Grande Final

Os times entraram em campo sob aplausos do público e gritos de incentivo vindos dos animadores de torcida. Pimenta e Felipe Dante foram até o centro do gramado ao encontro do juiz. Piolho ficou ali por perto, assim como Caio Dante, que não resistiu e quis provocar:

— Prontos para perder, molengas?

— E vocês? Estão prontos pra ganhar trapaceando? — devolveu Piolho.

— Do que você está falando?

— Dessas suas super chuteiras. A gente já sabe o que elas fazem. Assim fica fácil, né? Dá pra ser perna de pau, já que o pai compra o resultado do jogo...

— Ficou doido? Não faço ideia do que é que você está resmungando aí...

— Ah, não? Então troca de chuteira comigo. Que tal?

— Eu não quero usar essa sua chuteira fedorenta, seu...

— Não dá papo pra esses caras, mano — disse Felipe, irônico. — Estão desesperados porque já perderam a gincana.

— Podemos perder a gincana, mas vamos ganhar esse jogo — prometeu Pimenta.

— Pois você devia ter ficado em casa, pivete. Vai sair daqui humilhado e eu ainda vou ficar com a Princesa só pra mim.

— Vou sair daqui com a medalha do futebol masculino, palhaço. E quanto à garota... Não tenho culpa se ela tem mal gosto.

A S.U.P.E.R. Gincana

Felipe resmungou qualquer coisa, mas Pimenta o ignorou. O juiz soprou o apito e deu início à partida. Beto tocou a bola para Marcus, que lançou para Piolho. A movimentação rápida tirou os gêmeos Dante do lance. A bola voltou aos pés de Pimenta, que avançou, liderando o time no primeiro ataque, fazendo tabela com Piolho e Marcus. O meio de campo do Vitoriosos foi ficando para trás e não foi diferente com a zaga. O resultado não poderia ser outro: o São João abriu o placar contra o Vitoriosos com menos de um minuto de jogo! As torcidas de São João, Estrela Azul e Riso Feliz juntas calaram a grande maioria do público que torcia pelo Vitoriosos. Princesa foi erguida para o alto por seus companheiros de equipe e de lá puxou o grito: *"ÃO, ÃO, ÃO, NINGUÉM SEGURA O SÃO JOÃO!"*; até mesmo Pastilha esqueceu qualquer desavença e fez questão de bradar o grito de torcida criado pela rival a plenos pulmões.

Sentado no banco de reservas do São João, Paçoca olhou para trás e viu que a tribuna de honra não ficava muito longe de onde ele estava. Ficou observando a reação furiosa do diretor do Vitoriosos diante daquele primeiro gol. Viu quando ele fez sinais para o treinador de seu time, o técnico Muralha. O brutamontes passou a gritar com seus jogadores, mandando que prestassem mais atenção no jogo.

A bronca não adiantou muito, já que, alguns minutos depois, o São João aproveitou uma bobeira do ataque do Vitoriosos para roubar a bola, armar o contra-ataque e marcar o segundo gol. 2x0. Enquanto a torcida pulava na arquibancada, Paçoca voltou a olhar para Magno Dante. O homem estava a ponto de arrancar os cabelos e bufava de raiva. Foi então que ele apanhou uma maleta e de dentro dela tirou um par de óculos escuros que colocou no rosto. Apertou alguns botões nas laterais da armação, o que fez algumas luzinhas se acenderem. O "controle remoto" estava ligado.

— Oh-oh. Acho que é agora que o jogo vai começar...

Paçoca estava certo. Na mesma hora os garotos do Vitoriosos pararam de errar os passes e viraram verdadeiros craques em campo. O menino gênio se pôs a observar Magno Dante. Era como acompanhar alguém concentrado jogando uma partida de videogame. Os comandos não dependiam apenas do pressionar de teclas; havia comandos de voz, movimentos com as mãos e até com a cabeça. Paçoca concluiu que os óculos também deviam projetar informações nas lentes; dados enviados pelos chips em tempo real que orientavam Magno Dante e o ajudavam a manipular o resultado do jogo através do controle de seus jogadores.

Paçoca passou a estudar o movimento dos adversários. Com um pouco de concentração, sua mente genial passou a funcionar quase que da mesma maneira que os óculos do diretor do Vitoriosos: linhas curvas e retas se desenhavam à sua frente, calculando todas as possibilidades e antecipando os movimentos dos jogadores, a direção de seus chutes e a força da bola.

— Pastilha, está me ouvindo? — perguntou Paçoca, falando através do comunicador.

— Sim, já estou quase chegando perto do seu pai. Ele foi se sentar lá em cima, está meio difícil de chegar, tem muita gente dentro do ginásio.

A S.U.P.E.R. Gincana

— Tudo bem. Agora escuta, eu consigo enxergar um padrão de movimentação dos jogadores do Vitoriosos. Esse padrão coincide com a fórmula que encontrei no chip.

— Sério? Credo, eu tenho medo de você...

— É uma fórmula bem simples até. Repara só esse lance agora: a bola está no pé do Felipe Dante. O chip está programado para fazê-lo chutar no ângulo mais perfeito para evitar que o nosso goleiro faça a defesa. Sabendo disso eu sei que ele vai mirar no canto esquerdo e que a trajetória da bola fará uma curva de cima para baixo.

Tão logo o menino cantou como seria o lance, o capitão do Vitoriosos chutou a bola que fez exatamente o movimento que ele havia descrito.

A torcida do time da casa comemorou o primeiro gol. 2x1.

— Caramba! Como você sabia, Paçoca?

— Eu passei a noite estudando lances de futebol, Ju. O chip calcula rapidamente todas as possíveis trajetórias da bola com chances de gol, elimina as que mais permitiriam intervenção de zagueiros ou do goleiro e escolhe a rota mais perfeita.

— E você consegue calcular tudo isso na mesma velocidade que o chip?!?

— Não na mesma velocidade e nem a mesma quantidade de possibilidades. Mas acho que chego perto.

— Então você deveria estar em campo e não no banco de reservas!

— Eu, hein, vira essa boca pra lá... Só estou comentando. Agora vai logo falar com o meu pai.

Pastilha e Peteca chegaram até o local onde estava o pai de Paçoca. Encontraram um homem arrasado, que não parava de olhar para aquele céu cada vez mais escuro. As meninas foram se sentar ao seu lado bem a tempo de ver o time delas sofrer mais um gol. O Vitoriosos chegara ao empate. 2x2.

— Olá, seu Carlos. Lembra da gente? Somos da sala do seu filho. Viemos aqui ficar com o senhor — disse Juliana, fingindo inocência.

O homem se assustou e forçou um sorriso, cumprimentando as duas meninas. Vermelho feito um tomate, não conseguiu disfarçar seu nervosismo nem por um segundo sequer.

Os primeiros pingos de chuva começaram a cair, o que deixou o pai de Paçoca ainda mais desesperado. Era a deixa que Pastilha precisava. Ela respirou fundo e foi direto ao assunto:

— Nossa, o senhor está com uma cara de culpado! Tem medo que as chuteiras do time do Vitoriosos deem problema na chuva? O chip que tem dentro delas pode dar defeito, né?

Peteca mal conseguiu segurar o riso diante da abordagem super direta da amiga.

O cientista arregalou os olhos ao encarar a menina. Suas grandes bochechas coraram ainda mais. O homem olhou para os lados, apavorado com a possibilidade de alguém ter escutado aquilo.

— Do q-que você está falando, menina?

— Seu Carlos, vamos direto ao ponto: seu filho analisou as chuteiras que os jogadores do Vitoriosos estão usando e descobriu que existe um chip dentro delas. Sabemos que tem dedo seu no projeto. Só quero que o senhor nos diga: por que fez isso?

O homem ficou mudo diante dos olhares indignados das duas garotas.

A S.U.P.E.R. Gincana

— Responde, seu Carlos! — cobrou Peteca, ansiosa. — Por que favorecer o time deles e prejudicar a nossa escola? Vocês, adultos, não têm vergonha?

— É tudo muito complicado, meninas... São muitos interesses envolvidos...

— Sou a melhor amiga do seu filho. Estou acostumada a explicações complicadas.

O inventor suspirou e decidiu contar tudo o que sabia.

— Não era para o projeto "Super" favorecer qualquer time. No começo, tudo o que o pessoal da Ventura queria era criar uma nova linha de produtos esportivos que melhorasse o desempenho dos atletas usando alta tecnologia, e foi isso o que eu fiz. Depois de muita pesquisa, desenhei modelos de chuteiras, tênis e outros acessórios, sempre pensando na melhor adequação de cada item à sua modalidade esportiva.

— E aí, o senhor criou aquele chip?

— Sim, mas o propósito inicial desse chip era meramente a coleta de dados do jogador a fim de monitorar sua performance. Foi quando chamaram aquele outro cientista para atuar no projeto...

— Outro cientista? Quem?

— Por favor, não façam mais perguntas e nem comentem nada com ninguém, pois fui obrigado a assinar contratos terríveis! As pessoas que estão por trás de tudo isso são tão perigosas quanto poderosas. E, no fim das contas, isso aqui é só uma gincana entre escolas, não é? Coisa de criança...

Pastilha e Peteca olharam indignadas para o cientista.

— Pode ser coisa de criança para o senhor, mas pra gente é muito sério!

— E eu treinei muito para essas competições! — ralhou Peteca. — Me diz, teve manipulação em outras modalidades? Ou só no futebol? Eu quero saber!

— Meninas, não me peçam para falar mais nada. Ter participado disso tudo me deixa muito envergonhado. Espero que meu filho me perdoe um dia...

— Teve ou não trapaça em outros esportes? — insistiu Peteca.

— SIM! — o homem choramingou. — Eu também andei fazendo as minhas próprias investigações e descobri as mudanças que esse outro cientista fez nos meus projetos. Os tênis de corrida passaram a calcular em tempo real o melhor ritmo das passadas... Eles praticamente corriam sozinhos! Já no basquete e no vôlei, o segredo estava nas munhequeiras usadas pelos jogadores, que calculavam a trajetória da bola e a posição dos jogadores adversários. Todos esses dados eram monitorados por alguém do lado de fora, escondido na torcida, que conseguia controlar os jogadores.

— Igual em um videogame... — concluiu Pastilha.

— E nas outras modalidades? — quis saber Peteca. — Natação, Xadrez, Matemática...

— Não estou sabendo de nenhum esquema para essas outras modalidades. Até por que, no caso da natação, isso não seria possível. Esses chips são muito sensíveis e não podem ser molhados.

— Mas olha como o céu está ficando escuro, vai cair o maior temporal já, já! As chuteiras vão molhar!

— Pois é, os chips podem entrar em curto e funcionar de maneira desastrosa! Eu tentei alertar o diretor do Vitoriosos, mas ele não aceita ver os filhos perdendo no futebol e mandou seus seguranças me tirarem de lá. Não há o que eu possa fazer...

A torcida vibrou, comemorando mais um gol do Vitoriosos, que conseguiu virar o jogo chegando ao 3x2. O semblante dos jogadores do São João era o de quem já tinha certeza de que seria impossível vencer aquela partida.

— Seu Carlos, o senhor estaria disposto a contar toda a verdade para o diretor da nossa escola? — perguntou Juliana.

— Me peça qualquer coisa, menos isso. Eu já lhe disse que existe gente poderosa por trás desse projeto e que eu assinei muitos contratos pedindo sigilo. Se eu abrir a boca, sabe lá o que farão comigo! Pensem no bem estar do meu filho, amigo de vocês.

— Se essa gente é capaz de trapacear, não duvido que façam algo pior — lamentou Peteca. — Vamos deixar pra lá.

— É revoltante, mas o senhor está certo, seu Carlos; não podemos fazer o senhor e a sua família correrem esse risco.

Pastilha olhou para o banco de reservas e notou a tristeza no rosto de Paçoca, que acompanhara a conversa através da escuta eletrônica. A menina se deu conta de que todo o esforço para desvendar o mistério por trás das super chuteiras fora em vão. Aflita, olhou para onde estava Magno Dante e o viu sorrindo, vibrando a cada gol dos filhos, com seu imponente óculos escuros cobrindo os olhos. No campo, os rapazes comemoravam o quarto gol do Vitoriosos, mais um chute perfeito, indefensável, que levou ao 4x2. Por mais que Pimenta e os demais jogadores do São João se esforçassem, seus adversários sempre seriam melhores. Para piorar ainda mais a situação, os jogadores do Vitoriosos obedeciam às ordens do técnico Muralha e vinham dando entradas violentas, fazendo uma falta atrás da outra. Furioso e quase sem voz de tanto reclamar com o juiz, o técnico Chicão já tivera que realizar duas substituições. Suas opções no banco só faziam diminuir.

Aflito, Paçoca ouviu a voz de Pastilha em seu ouvido:

— Amigo, não há mais nada que a gente possa fazer. Agora é torcer por um milagre.

Quando o juiz apitou o fim do primeiro tempo, os garotos do São João se atiraram sobre a grama molhada, mortos de cansaço. Já os rapazes do Vitoriosos foram comemorar junto ao time de animadores de torcida. Felipe deu um beijo na capitã da equipe, uma jovem ruiva muito bonita, e fez questão de encarar Princesa, que lhe devolveu um olhar de desprezo. Os dois haviam brigado feio pela manhã. A garota preferiu focar em sua difícil tarefa: animar a torcida do São João, mesmo sabendo que uma virada do jogo seria algo impossível. E pior: debaixo de chuva.

Os diretores das quatro escolas foram até o centro do campo munidos de guarda-chuvas e pediram a atenção de todos. O público fez silêncio para ouvir as palavras de Magno Dante:

— Apesar de todos nós sabermos que o Colégio Vitoriosos já é o vencedor desse ano, vamos fazer agora o anúncio dos ganhadores nas modalidade culturais. Afinal, esporte não é tudo, certo? Mas ganha gincanas! Ha, ha, ha...

A torcida do Vitoriosos foi a única que achou graça do comentário. Os diretores das demais escolas se entreolharam, aborrecidos. Magno abriu o envelope de "Matemática" e leu os nomes das equipes que ficaram em terceiro e segundo

A S.U.P.E.R. Gincana

lugares, respectivamente Estrela Azul e Vitoriosos. Contrariado, anunciou a escola vencedora:

— Colégio São João...

O grito da torcida fez Paçoca cair para trás. Quando se deu conta, já estava sendo erguido para o alto pelas mãos dos colegas de equipe e sendo levado até o centro do campo. Quando se viu diante dos diretores, recebeu de Roger uma medalha de ouro e um abraço emocionado.

— Parabéns, Plínio. Essa é uma medalha muito importante para nossa escola.

Magno Dante abriu o envelope com o resultado de "Redação" e, mais uma vez, se aborreceu ao ver alunos do Vitoriosos perdendo para outra escola.

— Em primeiro lugar: Juliana Fagundes, do São João.

A torcida comemorou mais uma vez. Os animadores de torcida puxaram o grito enquanto Pastilha era carregada por várias pessoas na arquibancada, sendo conduzida até o campo. Ao se ver diante do dono do Vitoriosos, ela teve vontade de arrancar o microfone de sua mão e contar tudo o que sabia, mas preferiu se conter ao lembrar do risco que isso traria à família de Paçoca. Ela recebeu a medalha do diretor Roger, que também lhe deu um abraço emocionado. Com aquele terceiro ouro, o São João empatava com o Estrela Azul na gincana.

Ao abrir o envelope de "Quadrinhos", o diretor do Vitoriosos pigarreou. Chamou um assessor e conversou qualquer coisa em seu ouvido, mas o homem deu de ombros, aflito. Magno Dante, sem esconder a carranca, anunciou ao microfone os nomes de dois de seus alunos, em terceiro e segundo lugares, e então o nome do vencedor:

— Roberto Teixeira do... Colégio São João...

187

O grito da torcida do São João quase fez o ginásio ruir. Com aquela medalha, a escola ultrapassava o Estrela Azul e alcançava a segunda colocação.

Surpreso, Pimenta foi até o centro do campo para receber a medalha das mãos de seu orgulhoso tio. Ao recebê-la, olhou para os animadores de torcida e viu que Princesa também o aplaudia, sorrindo de felicidade. Um sorriso que, para ele, valeu por toda a gincana.

Magno Dante apanhou o envelope com o resultado dos juízes para o Projeto Ambiental. Abriu-o devagar, com medo do que veria ali. Mas, por fim, um largo sorriso se abriu em seu rosto ao anunciar que um grupo do São João ficara em terceiro, outro do Estrela Azul em segundo e, em primeiro lugar:

— Otto Bengel, aluno do Colégio Vitoriosos!

A torcida da casa fez uma grande algazarra, mas mesmo assim foi possível escutar o coro de vaias das demais torcidas. Pastilha teria achado aquilo ofensivo e de mal gosto se não soubesse de toda a injustiça da qual fora vítima. Ela mesma teve vontade de vaiar aquele resultado.

Como Otto Bengel não apareceu para receber sua medalha, o diretor do Vitoriosos voltou a chamá-lo. As pessoas na arquibancada olhavam para os lados, mas ninguém parecia saber onde ele estava. Por fim, um homem louro muito alto e de ar esnobe se levantou da tribuna de honra e foi calmamente até o campo.

— *Deixarr prrêmio* comigo, Magno. Eu *entregarr* a Otto.

Paçoca olhou para aquele homem enorme e lembrou de tê-lo visto no dia anterior: era o pai do Otto, que havia dado uma baita bronca no filho por ter sido eliminado no xadrez. Notou o modo como ele e Magno se cumprimentaram calorosamente, como se fossem velhos amigos. Foi então que um pensamento sinistro lhe ocorreu. Ele procurou por Pastilha dentro do campo, mas viu que ela já havia voltado para a arquibancada. Ansioso, chamou por ela no comunicador:

— Pastilha, está me escutando?

— Estou sim, Paçoca. O que foi?

— O sujeito que recebeu a medalha é o tal Hanz Bengel, pai do Otto. Lembra que ele se apresentou ontem como *"grrande inventorr"* e *"homem do ciência"* e fez aquela cena humilhando o filho na frente de todo mundo?

— Claro que lembro! Eu *quase* senti pena do Otto.

— Pois bem, eu acho que ele é o "outro cientista" por trás das super chuteiras.

— É claro! Como a gente não pensou nisso antes, Paçoca?

— Não sei. Só sei que você precisa encontrar o Otto e colocá-lo contra a parede. Duvido que ele não saiba algo sobre o envolvimento do pai no esquema de trapaça. É dele que a gente vai arrancar uma confissão, entendeu?

— Deixa comigo.

— Só mais uma coisa: o alcance desse comunicador é limitado. Se você se afastar demais, vamos perder contato, então vê se toma cuidado, tudo bem? Leve a Peteca com você.

— Nada disso. Ela vai ficar aqui e vigiar o seu pai, caso alguém venha falar com ele. Pode deixar que eu me viro bem sozinha.

— Mas...

Paçoca ouviu um chiado alto e praguejou. Pastilha havia desligado o comunicador.

Capítulo 23

Segundo Tempo com Mau Tempo

Munida de um guarda-chuva, Pastilha mandou Peteca ficar de olho em seu Carlos e desceu as arquibancadas às pressas, saindo do ginásio. Do lado de fora deu de cara com Otto Bengel, que trabalhava incansavelmente em sua máquina de fazer chover, exposta ali para demonstração ao público.

— Otto, a gente precisa conversar — falou Juliana, firme e ensopada.

— Some daqui, *garrota!* Não *perceberr* que eu *estarr* ocupada, *agorra?*

— Não me interessa. Eu quero que você me conte toda a verdade. Eu já sei do envolvimento do seu pai num esquema de manipulação dos resultados dos jogos e...

— *Nein, nein, nein!* Eu já disse que *estarr* ocupada! Vê esse *temporral* que *surgirr* do nada? Adivinha de onde *virr?*

A menina viu que o céu estava ainda mais escuro e assustador, sendo que o dia estava claro até momentos antes do início do jogo. Um vento frio começava a soprar, carregando gotas geladas de chuva. Ela olhou para a máquina que Otto havia criado, de onde saía uma espiral de vapor que subia num ritmo acelerado até a atmosfera. O aparelho estava aberto e o garoto tinha ferramentas nas mãos, além de um semblante de desespero.

— Não vai me dizer que você perdeu o controle sobre essa sua máquina...

— *Garrota esperrta. Agorra trrate* de *procurrar abrrigo.* Se eu *nón conseguirr contrrolarr der Regenmacher,* o coisa vai *ficarr* feio!

— Mas como você conseguiu essa proeza, Otto? No primeiro dia da gincana essa sua máquina não fazia nem uma nuvenzinha. E agora isso?

— Você *querr* mesmo *saberr?* Eu *levarr parra* casa escondida o máquina de sua amiga *gorrda.* Lá eu *fazerr engenharria rreverrsa* e *melhorrarr* meu invento. Mesmo tecnologia, novos peças. Mas *terr* pouca tempo *parra testarr. Agorra* eu nem consigo mais *desligarr* esse coisa...

— Ah, é, seu ladrãozinho? Pois eu vou é buscar ajuda e contar isso pra todo mundo!

— *Nein!* Ninguém mais *poderr saberr* disso. Se meu pai *descobrrirr* que *frracassei* novamente, eu *estarr morrto! Kaputt!*

Indignada, Pastilha largou o guarda-chuva e saiu correndo de volta ao ginásio. Só que Otto se mostrou muito mais ágil e a alcançou rapidamente. Transtornado, ele a agarrou, sacou um rolo de fita adesiva de um dos bolsos de seu jaleco e vedou a boca dela. Puxou os braços da menina para trás e passou a mesma fita em seus pulsos e depois em seus pés. Juliana estava assustada e totalmente imobilizada. O alemão a arrastou de volta até a máquina e falou:

— *Ficarr* quieta, *agorra*. Eu *prrecisa* me *concentrrarr*. Pelas minhas cálculos, se esse máquina *continuarr* ligada *porr* muita mais tempo, vamos *terr* uma nova dilúvio. Vai *serr* a fim da mundo!

O segundo tempo do jogo seguia debaixo de uma chuva intensa, para infelicidade de Piolho, que reclamava o tempo todo. Devido às contusões de seus jogadores, o São João voltara do vestiário com mais duas substituições, restando apenas Paçoca no banco. Com isso, o time enfraquecera muito, pois os garotos que haviam se voluntariado não tinham o mesmo nível técnico dos convocados.

Quando a torcida do São João já dava sinais de desânimo por causa do mal tempo e da certeza de derrota, eis que o

A S.U.P.E.R. Gincana

impossível aconteceu: mesmo diante de um time perfeito, Pimenta conseguiu roubar a bola e fazer uma jogada individual brilhante, que resultou num belíssimo gol que diminuiu a diferença e levou o jogo ao 4x3. Foi aí que o público entendeu que aquele jogo ainda guardava surpresas.

— Inacreditável o que o Pimenta fez — comentou Paçoca com o auxiliar técnico.

— Será que ele consegue repetir isso? Vamos precisar...

Só que o treinador Muralha não parecia nada disposto a correr riscos. Ele pediu tempo e chamou seu time para conversar. Sua orientação foi bastante clara:

— Parem esse tal Pimenta de qualquer jeito. Se for preciso, quebrem ele ao meio!

A partir daí o jogo se tornou uma carnificina. Quase todas as faltas eram em cima de Pimenta, mas seus colegas de time também sofreram. Os jogadores do Vitoriosos pararam de tentar fazer mais gols e focaram em segurar o resultado com faltas terríveis. E o jogo voltou a ficar feio. O técnico Chicão reclamava o tempo todo com o juiz; mandava que ele punisse os jogadores do Vitoriosos, que distribuísse cartões amarelos e vermelhos, mas o homem simplesmente o ignorava e ainda ameaçava expulsá-lo da partida se insistisse em reclamar.

— Juiz ladrão!!! — gritou Paçoca, revoltado. — O Vitoriosos já ganhou a gincana e agora isso! Que papelão...

O destino do jogo parecia certo quando, num momento de grande perigo para o São João, o goleiro Girafa conseguiu fazer uma linda defesa. Mas o autor do chute, Felipe Dante, não deixou barato: aproveitou o lance para deixar o pé na mão do goleiro, que gritou de dor. O árbitro fingiu que não viu. Os médicos entraram em campo e viram que não havia mais condições para Girafa, cuja mão ficara toda inchada. Os gêmeos acharam graça. Pimenta precisou se controlar para não voar no pescoço deles.

Ao olhar para o banco, o técnico Chicão levou um susto ao ver que só lhe restava Paçoca. Sem ter outra opção, mandou que ele colocasse as luvas e substituísse o goleiro.

— Mas eu não sei agarrar!

— Não posso tirar ninguém do time agora para colocar no gol. Apenas dê o seu melhor.

O menino viu o estado em que Girafa deixou o campo, deitado na maca e chorando de dor. Tremendo feito geleia, o inventor ainda tentou argumentar:

— Mas eu não sou ágil, treinador! Sou desajeitado, lento... E gordo!

— Filho, a nossa situação não pode ficar pior do que está.

— Quer apostar?

Quando Paçoca entrou em campo usando as luvas de goleiro, a torcida do Vitoriosos explodiu em gargalhadas.

— Não dê ouvidos a eles, Plínio... — gritou Chicão, que bateu palmas para a coragem do menino gênio. O resto do time fez o mesmo, assim como os animadores de torcida. Dali a pouco, metade do ginásio estava aplaudindo o novo goleiro do São João.

— Pelo menos ele vai tapar bem o gol com essa pança — comentou Piolho com o irmão.

O juiz mandou o jogo continuar e logo no primeiro chute do Vitoriosos, lá do meio de campo, a bola passou por entre as pernas de Paçoca, que nem teve tempo de fazer nada. Foi

A S.U.P.E.R. Gincana

um frangaço. A torcida do São João se calou. O goleiro engoliu em seco, cheio de vergonha diante das provocações e risos do time rival. O placar do ginásio mudou para 5x3.

— Não liga pra eles, Paçoca — disse Pimenta, para tentar animar o amigo. — Você é muito melhor do que aqueles covardes. Se a gente perder, perdemos de cabeça erguida.

A defesa do São João bem que se esforçou para não deixar a bola chegar no goleiro, mas os garotos do Vitoriosos eram habilidosos demais. Em pouco tempo Felipe Dante já estava cara a cara com o gol, se preparando para chutar.

Paçoca não pensou duas vezes: botou seu super cérebro para trabalhar e aplicou a mesma fórmula do chute perfeito usada pelo chip. O tempo pareceu congelar quando o menino viu a bola no pé do adversário. Antes mesmo que ela fosse chutada, Plínio conseguiu calcular as diversas trajetórias possíveis da bola e escolher a mais perfeita. Foi nessa direção que ele pulou. E quase defendeu.

A torcida do Vitoriosos foi ao delírio com o 6x3.

Deitado sobre a grama molhada, Paçoca socou o chão, furioso. Piolho foi até ele para ajudá-lo a se levantar.

— Ei, não fica assim, você quase agarrou! É que foi um chute muito forte.

— Eu sei. As super chuteiras estão programadas para dar chutes indefensáveis. Só que eu sou muito lento, nunca vou chegar na bola a tempo!

— E se você imaginar que a bola é... Sei lá... Um doce?

— Como é?

— Imagina que a bola é uma rosquinha bem açucarada. Ou um bombom com recheio de morango. Ou um biscoito coberto de chocolate. Ou...

— Para, você está me deixando com fome! Vai tirar a minha concentração...

— Ou um pirulito gigante de tutti frutti. Ou uma bala com recheio de chiclete. Ou...

— Pode ser um ovo de páscoa gigante?!?

— Pode ser o que você quiser, desde que agarre!

Os olhos de Paçoca brilhavam e a boca salivava. O árbitro apitou o reinício da partida. Pimenta fez uma troca de passes com Pinguim, mas rapidamente a bola já estava novamente no pé de Felipe Dante, que fez tabela com seu irmão e, juntos, foram vencendo toda a defesa do São João até estarem frente a frente com o goleiro. A torcida do Vitoriosos já comemorava o gol por antecipação. Ah, se ao menos eles conseguissem enxergar aquele lance pelos olhos de Paçoca!

O menino, mais uma vez, viu a jogada em câmera lenta, com linhas e curvas se desenhando diante do atacante do Vitoriosos. As possíveis trajetórias da bola foram sendo eliminadas, até restar apenas uma: a mais perfeita. Foi para essa direção que Paçoca pulou, visando agarrar o maior e mais suculento dos ovos de páscoa. O estômago do garoto roncou tão alto que muitas pessoas pensaram ser um trovão.

Paçoca agarrou a bola. E o ginásio foi ao delírio!

— *Que defesa incrível do goleiro do São João! Ele foi buscar a bola lá no ângulo!!!* — anunciou o narrador da partida.

O time inteiro veio abraçar Paçoca enquanto os garotos do Vitoriosos pareciam não ter entendido o que havia acontecido. Como era possível que aquele gorducho baixinho tivesse feito uma defesa daquelas?

Com o olhar perdido, Paçoca salivava para a bola de futebol que tinha em mãos. Mas antes que pudesse metê-la na boca, teve o "ovo de páscoa" roubado por Piolho.

— Nada disso! Só vai poder comer quando o jogo terminar.

O menino gênio choramingou, mas logo viu que a guloseima já estava longe de seu alcance. Ficou esperando que ela viesse novamente ao seu encontro, o que não demorou a acontecer. Mais um chute preciso do Vitoriosos, mais uma grande defesa de Paçoca. E Piolho foi lá tomar mais uma vez a bola dele. E mais outra defesa. E outra. E outra.

Agora, a torcida do Vitoriosos só fazia vaiar seu time por estar desperdiçando tantas oportunidades. Princesa resolveu aproveitar o bom momento e fez sua equipe levantar a torcida do São João, pedindo que todos acreditassem na virada.

Surpreso, mas confiante de que seu gol estava seguro, o técnico Chicão orientou o time a focar menos na defesa e se concentrar no ataque. O resultado da nova estratégia? Um gol de Pimenta e outro de Marcus que fizeram a torcida do Vitoriosos se calar de vez diante de um preocupante 6x5.

Paçoca viu o momento em que Magno Dante, tomado pela fúria, retirou os óculos-controle, deixou a tribuna de honra e veio até o banco do Vitoriosos. Ele e o treinador Muralha começaram a discutir enquanto a chuva só fazia apertar, levando muitas pessoas a deixarem o ginásio com medo de que o tempo piorasse ainda mais.

O técnico Muralha pediu tempo e, dessa vez, a bronca nos garotos saiu da boca do próprio diretor da escola. Paçoca estremeceu ao ver Magno Dante levantar a cabeça e apontar em sua direção. Todos os jogadores do time adversário olharam para ele ao mesmo tempo, como se tivessem acabado de receber ordens para exterminá-lo do planeta.

O jogo recomeçou. Poças de lama tomavam o lugar da grama, deixando o campo escorregadio. A chuva estava tão forte agora que parecia até que haviam ligado um chuveiro dentro do ginásio. Os animadores de torcida de ambas as escolas tiveram que encerrar suas apresentações e ir procurar abrigo nos vestiários. Boa parte do público já havia deixado o estádio devido ao mau tempo.

Peteca e o pai de Paçoca permaneciam na arquibancada, dividindo o mesmo guarda-chuva. Preocupada com a demora de Pastilha, que saíra correndo sem dizer aonde iria, Viviane tremia de frio mesmo depois de ter pego o casaco do homem emprestado. Mas nenhum dos dois estava disposto a sair dali enquanto a partida não fosse encerrada.

Pimenta sofreu falta dentro da área, caindo numa poça de lama. A torcida que ainda continuava no estádio pediu

A S.U.P.E.R. Gincana

pênalti, mas o árbitro demorou a marcar. Os meninos do São João também foram protestar. Por fim, o homem acabou cedendo à pressão e marcou a penalidade máxima, para desespero de Magno Dante e do técnico Muralha.

Pimenta foi para a cobrança. Tomou distância, respirou fundo, deu uma corridinha e bateu. Debaixo de toda aquela água o goleiro do Vitoriosos nem viu a bola.

— Incrível! 6x6! O São João chegou ao empate e domina a partida!

Felipe Dante correu para o centro do campo com a bola nas mãos, louco para recomeçar o jogo. Piolho estranhou quando viu uma luz piscando nos pés do rival.

— Ei, cara, já viu que a sua chuteira tá soltando faíscas? E fumaça...

O filho do diretor não deu atenção ao adversário e rolou a bola para seu irmão. Os gêmeos avançaram rumo ao gol do São João decididos a marcar um gol ou a arrebentar o goleiro, o que viesse primeiro. Assustado, Paçoca viu a bola se aproximar. Ele olhou rapidamente para a lateral do campo e viu Magno Dante pressionando os botões dos óculos, controlando os próprios filhos naquele ataque. O homem estava transtornado, exibindo um sorriso sádico. Pinguim tentou roubar a bola, mas escorregou numa poça. Os zagueiros também tentaram impedir os gêmeos, mas foram driblados e deixados para trás. Os dois atacantes estavam sozinhos diante do goleiro.

Foi então que um raio cortou o céu e cegou Paçoca por alguns segundos. Um estrondo assustador ecoou pelo ginásio, assustando o público. Quando o menino voltou a enxergar, levou um susto ao ver Felipe e Caio jogados no chão, berrando de dor e pedindo socorro. Os dois tentavam arrancar as super chuteiras, que soltavam fagulhas e muita fumaça. Mas o mais estranho é que os pés deles ainda davam chutes, como se movessem por vontade própria. Paçoca olhou para o campo e viu que todos os garotos do Vitoriosos estavam em apuros, muitos deles pareciam sambar feito passistas no carnaval, sem terem qualquer controle sobre os próprios pés. Ao olhar novamente para o diretor da escola, viu que ele espumava de raiva e continuava a martelar os controles, mesmo com seus jogadores caídos no chão.

— Pronto, aconteceu o que eu tanto temia! — disse o pai de Paçoca na arquibancada.

— As chuteiras estão pifando? — quis saber Peteca, nervosa. — O que vai acontecer com aqueles garotos?

— Eu não faço ideia. Mas espero pelo pior!

Capítulo 24
O Temporal

O pânico rapidamente se espalhou pela multidão que deixava o ginásio às pressas para fugir do temporal e da ventania. Até o juiz percebeu que permanecer ali não seria uma boa ideia e se mandou junto com seus auxiliares. Apavorado e sem acreditar no que estava acontecendo, Magno Dante guardou os óculos escuros em uma maleta e convocou o técnico Muralha e o inventor Hanz Bengel; os três deixaram o ginásio às pressas por uma saída auxiliar, ignorando os pedidos de ajuda dos atletas do Vitoriosos. Felipe e Caio Dante não acreditaram quando viram o próprio pai abandoná-los naquela situação. Os pais de Princesa e Peteca correram para o campo, tentando localizar suas filhas.

Enquanto os garotos do time do Vitoriosos rebolavam e rolavam pelo gramado tentando arrancar as super chuteiras de seus pés, os jogadores do São João e a comissão técnica foram buscar abrigo dentro dos vestiários, indo ao encontro dos animadores de torcida. Peteca e o pai de Paçoca pularam a mureta de proteção e vieram até deles.

— Filho, você está bem? — perguntou Carlos, ofegante.

— Estou sim, pai. Mas e quanto a eles? A água da chuva fez com que os chips dentro das super chuteiras entrassem em pane!

Princesa e Peteca também foram abraçar seu pais, que pareciam estar tão confusos com tudo o que estava acontecendo

Turma da Página Pirata – Marcelo Amaral

quanto qualquer um ali. Todos sabiam que não era certo deixar os jogadores do Vitoriosos debaixo daquela chuva, mas o medo não deixava ninguém raciocinar direito.

— Tem como desligar aquelas coisas? — gritou Pinguim, para se fazer ouvir devido ao forte som da chuva.

— Os chips ligam automaticamente quando as chuteiras são colocadas nos pés e só desligam quando elas são retiradas.

— Chips? Chuteiras? Que loucura é essa, Carlos? — quis saber Fábio Ventura, ainda abraçado à filha. — Do que é que vocês estão falando?

— Puxa, fico tão aliviada em saber que o senhor não está envolvido em toda essa trapaça! — falou Princesa, dando um abraço apertado no pai.

— Que trapaça, filha? Será que alguém pode me explicar o que é que está acontecendo aqui?

— Não é hora de explicar nada agora, pessoal! A gente tem é que voltar lá pro gramado e ajudar os caras — concluiu Pimenta, determinado.

Ele, Pinguim, Piolho, Peteca, Paçoca e o técnico Chicão voltaram ao campo e começaram a arrancar as chuteiras dos pés dos alunos do Vitoriosos. Aquelas coisas chiavam e soltavam faíscas como se estivessem prestes a explodir, mas tão logo eram retiradas, desligavam sozinhas. Os garotos que se viam livres do controle das chuteiras logo se punham de pé, mas ao invés de tentar ajudar os companheiros de time ainda caídos, preferiam salvar a própria pele e correr para o abrigo.

Os últimos a serem ajudados foram os irmãos Dante. Pimenta e Piolho arrancaram as chuteiras dos pés deles e as atiraram longe. Os gêmeos pareciam confusos, sem saber como agir diante daquele gesto. Beto fez questão de explicar a situação aos dois:

A S.U.P.E.R. Gincana

— É isso mesmo. A gente veio aqui pra ajudar, nesse baita temporal, mesmo vocês sendo uns idiotas. Mas um "obrigado" até que caía bem.

Ainda um tanto atordoados, os gêmeos se colocaram de pé, murmuraram agradecimentos chinfrins e correram para se abrigar da tempestade. Quando todos estavam protegidos dentro do vestiário, Felipe Dante se voltou para a turma da Página Pirata e quis saber:

— O que é que tinha naquelas chuteiras, afinal?

— Ah, vai dizer que vocês também não sabiam de nada? — perguntou Pinguim, irônico.

— Sabíamos de quê?

— Dos chips dentro das chuteiras que faziam... humpf!

O pai de Paçoca tampou a boca do garoto e se apressou em mudar de assunto:

— Crianças, onde está aquela amiga de vocês? Ela estava comigo, mas saiu do ginásio às pressas e não voltou mais. Estou preocupado...

— Pastilha! Ela foi sozinha atrás do Otto! — revelou Paçoca.

— Então a gente tem que ir atrás dela e rápido!

— Vamos com você, Pimenta — falou Felipe Dante, causando espanto em todos, principalmente em Beto. — Eu e meu irmão conhecemos bem a escola.

— Tudo bem. Toda ajuda é bem-vinda agora!

Todos enfrentaram a chuva forte ao deixarem o vestiário. Tão logo atravessaram os portões de entrada do ginásio, se depararam com uma cena terrível: Otto Bengel caído no chão, inconsciente, ao lado de uma máquina descontrolada. Perto dali encontraram Pastilha toda amarrada com fitas adesivas. Pimenta correu até ela e a soltou. A menina foi rápida em dar explicações:

— Esse doido do Otto copiou o seu invento, Paçoca, e fez a máquina de chuva dele ficar absurdamente poderosa. Só que ela saiu do controle e acabou causando essa baita tempestade que piora a cada minuto! Você precisa desligar essa coisa, mas toma muito cuidado, o Otto levou um baita choque enquanto mexia nela e desmaiou.

A S.U.P.E.R. Gincana

O menino gênio nem pensou duas vezes. Pegou em sua mochila um par de luvas de borracha e algumas ferramentas e foi trabalhar na máquina. A *"Regenmacher"* emitia uma luminosidade intensa e dava solavancos, parecendo prestes a explodir a qualquer instante. Uma espécie de furacão invertido saía de um tubo e rumava até o céu, e do ponto onde ele tocava a tempestade brotavam raios que caíam sobre toda a cidade.

— Filho, o que é essa coisa? — perguntou Carlos, aos berros.

— Não dá para explicar nada agora, pai! Estou tentando desfazer a lambança que o Otto fez ao misturar a minha tecnologia de fazer chover com a dele.

— Não tem como desligar a máquina? Tirar da tomada? — quis saber Pinguim.

— É meio o que eu estou tentando fazer... huuunf!

Paçoca conseguiu retirar uma peça da máquina e puxar um punhado de fios para fora. O menino fez força e conseguiu arrancar todos eles, fazendo com que a máquina engasgasse e parasse de funcionar. O furacão cessou. Todos olharam para o céu.

— Agora é cruzar os dedos...

Mas a chuva continuava a cair. E caía com tanta força agora que chegava a machucar. O vento derrubava plantas e quebrava vidraças da escola.

— Por que é que a tempestade não parou, Paçoca?

— A máquina serve para estimular a produção de chuva, Piolho. Agora que foi desligada, ela não vai mais alimentar o temporal, só que ele já atingiu uma força tão absurda que se continuar assim os estragos serão enormes. Só tem um jeito de impedir isso: é preciso reverter o efeito da máquina!

— Mas como?

Turma da Página Pirata – Marcelo Amaral

— Eu tive uma ideia, mas vou precisar da ajuda do Otto para conseguir entender o que ele fez nessa máquina. Ele já acordou?

— Acordar, ele acordou, mas não está muito bem da cabeça, não... — respondeu Princesa, que fora tratar do garoto. O alemãozinho tinha o olhar perdido e mal parava em pé.

— Eu *querrerr comerr chucrrute!* Eu q*uerrerr comerr salsichón! So gut!* (Tão bom!)

— Ih, o cara endoidou... — falou Pimenta. — Tem que ter outro jeito!

— Eu te ajudo, filho — disse Carlos. — É o mínimo que posso fazer depois do mal que causei...

— Tudo bem — concordou Paçoca, voltando ao trabalho. — Todos os outros têm que arrumar um lugar para se proteger! Saiam já daqui!

— Ficou doido? A gente não vai abandonar vocês aqui e... Ei! O que é aquilo ali?!? — perguntou Piolho, apontando para três homens que enfrentavam a chuva e o vento, carregando alguma coisa bastante pesada e brilhante.

— Não pode ser — disse Felipe Dante. — É o meu pai!

— E o técnico Muralha. E o homem louro é o pai do Otto — completou Caio.

— Eles *tão* carregando a taça da gincana — observou Pimenta. — Será que é pra proteger da chuva?

— Isso está me cheirando a coisa muito pior! — falou Pastilha. — Eles já perceberam que descobrimos toda a farsa e estão fugindo com o troféu! Temos que impedi-los!

Pimenta, Pinguim, Piolho, Felipe, Caio e o técnico Chicão foram atrás do trio, que corria devagar devido ao peso da taça e ao chão escorregadio.

A S.U.P.E.R. Gincana

— Pai, o que você está fazendo? — quis saber Felipe.

Magno, Hanz e Muralha trocaram olhares aflitos. Apertaram o passo da corrida, mas tudo o que conseguiram com isso foi escorregarem no chão molhado e caírem uns por cima dos outros, com troféu e tudo. Foi uma barulheira que nem a forte chuva conseguiu abafar.

— Filho, eu posso explicar... — gaguejou Magno Dante, tentando se colocar de pé.

— Vocês estavam fugindo com a taça? Por quê?!?

— Eu... Eu...

O homem lançou um olhar perdido para o céu, deixando a chuva cair sobre o rosto. Experimentava uma sensação inédita e estranha; era a primeira vez em toda sua vida que perdia o controle da situação. Súbito, um ruído poderoso se fez ouvir, ecoando por toda a escola e indo muito além.

Todos olharam para Paçoca e seu pai, que, juntos, apontavam a máquina para o céu. Era incrível ver o equipamento funcionar como um aspirador hiper-poderoso, sugando a tempestade lá do alto. A força da sucção fazia com que as nuvens escuras trombassem umas nas outras; os raios se embaralhavam; a água se espalhava em todas as direções enquanto descia com toda a força. À medida que o temporal era arrancado do céu, ele dava lugar a um dia ensolarado, numa sequência de eventos que seria impossível de se acreditar se as pessoas não estivessem vendo tudo aquilo acontecer com seus próprios olhos. Quando o último fiapo de tempestade entrou pelo tubo da máquina, esta já estava prestes a arrebentar. Foi então que Carlos arrancou o objeto das mãos do filho e o atirou dentro do lago. A máquina explodiu, fazendo subir uma coluna de água. O silêncio que se seguiu foi um alívio.

Saindo aos poucos de seus esconderijos, as pessoas se entreolhavam, tentando entender o que haviam acabado de testemunhar. Então vieram os vivas e os sorrisos; os abraços e os beijos; a emoção tomou conta de todos, pois tudo acabara bem.

Ou melhor, nem tudo.

Furiosos e ensopados, os diretores das outras três escolas deixaram o prédio principal do Vitoriosos e foram encontrar com Magno Dante para cobrar explicações.

— Nós vimos você tentando fugir com a taça da gincana! — acusou o diretor Roger. — Que ideia foi essa?!?

— E eu quero saber o que houve com os garotos do time do Vitoriosos quando a chuva caiu — falou Fábio Ventura, irritado. — As chuteiras deles soltavam faíscas, era como se tivessem criado vida!

— Bem, quanto a isso, creio que eu possa explicar... — disse o pai de Paçoca.

— Não se atreva, Carlos! — ameaçou Magno. — Lembre-se do nosso contrato! Eu acabo com você!

— Contrato? Que contrato?

— O contrato de confidencialidade que o Magno me obrigou a assinar, Fábio. A tecnologia por trás dos equipamentos S.U.P.E.R. vai muito além do que havíamos conversado. E envolve também aquele homem ali.

Carlos apontou para Hanz Bengel, que fez cara de quem queria desaparecer.

— Muito bem, já deu para entender que todos vocês têm muitas explicações a dar — disse a diretora do Estrela Azul.

— E nós temos o resto do dia inteiro para escutar — falou o diretor Roger, cruzando os braços.

Capítulo 25
Vitoriosos

A multidão em volta de Magno Dante ficava cada vez maior à medida que as pessoas iam deixando seus abrigos. Alunos, pais e professores vinham tentar entender o que havia acontecido e saber por que razão o diretor do Vitoriosos estava estirado sobre uma poça de lama junto com o professor Muralha, o cientista Hanz Bengel e a majestosa taça da gincana.

Ignorando as ameaças de Magno Dante, o pai de Paçoca revelou tudo o que sabia sobre as super chuteiras. Chegou a arrancar a sola de uma delas diante de todos para poder mostrar o microchip escondido ali dentro, informando que ele havia criado aquele componente apenas para coletar dados do jogador durante a partida, mas que, posteriormente, o chip fora alterado por Hanz Bengel, a pedido do diretor do Vitoriosos, para conferir vantagem aos jogadores de seu time. Pastilha foi ainda mais longe: apanhou a maleta do diretor do chão e tirou de dentro dela os óculos escuros cheios de botões escondidos na armação, explicando que era com aquilo que ele controlava os jogadores em campo. Peteca lembrou ainda que a trapaça teria acontecido em outras modalidades da gincana também, como atletismo, basquete e vôlei. As pessoas ouviam tudo aquilo horrorizadas, principalmente os diretores das outras escolas.

— Você é um louco, Magno! Eu nunca teria envolvido o nome da minha empresa numa sujeira dessas. Nunca! — gritou o pai de Princesa. — Eu vou processá-lo por isso!

— Conhecendo o histórico da gincana, eu já desconfiava que o Vitoriosos pudesse ter manipulado um ou outro resultado em anos anteriores. Mas o que vimos acontecer aqui hoje foi o cúmulo! — disse a diretora do Riso Feliz, chocada.

— Isso desmoraliza o evento completamente — analisou a diretora do Estrela Azul. — O que vamos dizer aos nossos alunos diante disso?

— Perdão, Cristina, mas não creio que isso desmoralize a gincana como um todo, mas apenas o Colégio Vitoriosos — observou o diretor Roger. — Os alunos das demais escolas estão de parabéns, pois fizeram uma excelente participação.

— Mas nós não sabíamos das chuteiras, nem de qualquer outro esquema de trapaça armado pelo meu pai! — lembrou Felipe Dante, transtornado. — A gente achava que estava jogando limpo...

— Jogando limpo? — ironizou Piolho. — Querer ganhar um jogo na base da falta é jogar limpo?

— A gente só fez o que o nosso técnico mandou...

— O que está havendo aqui, afinal? — gritou uma voz severa, vinda da multidão.

Um homem de ar quase tão esnobe quanto o de Magno Dante surgiu, acompanhado por um grupo de pais de alunos do Vitoriosos. Estavam furiosos.

— Senhores, podemos conversar mais tarde? Estou um tanto "atolado" agora... — pediu o diretor do colégio, tentando se colocar de pé. Suas roupas finas estavam completamente molhadas e imundas.

A S.U.P.E.R. Gincana

— Queremos conversar agora, Magno! Que ideia foi essa de querer roubar a taça que ajudamos a financiar?

— Como é? — quis saber o diretor Roger.

— O diretor Magno nos garantiu que nossos filhos ganhariam a gincana este ano e nos convenceu a patrocinar a taça mais cara de todos os tempos para enfeitar a nossa querida sala de troféus. Somos todos ex-alunos daqui e queremos que nossas crianças sintam o mesmo orgulho pelo Vitoriosos que nós sentimos!

— Pois se vocês doaram dinheiro para fazer essa taça sob garantia de que ela ficaria nesta escola, vocês são tão culpados quanto o Magno! — acusou a diretora do Estrela Azul. — No mínimo são cúmplices de toda essa roubalheira que foi revelada aqui.

— Muito bem, agora que tudo ficou bem claro, precisamos tomar uma decisão — determinou Roger. — Não podemos simplesmente eliminar o Vitoriosos da gincana, pois isto seria punir os alunos que nada têm a ver com a história. Mas, infelizmente, não podemos reconhecer a vitória deles nas modalidades esportivas.

— Mas eles também roubaram no projeto ambiental! — acusou Pastilha. — A máquina de fazer chover do Otto é uma fraude! Ele roubou a tecnologia da nossa invenção e quase inundou a cidade!

Otto Bengel, já recuperado do choque que havia levado, bem que tentou protestar, mas foi censurado pelo pai. Cientes de tantas acusações contra o Vitoriosos, os três diretores das demais escolas se reuniram com seus professores. Após alguns minutos estudando o quadro de medalhas, anunciaram o seguinte:

— Diante das suspeitas de que houve trapaça nas modalidades esportivas, decidimos desclassificar o Vitoriosos e dar a vitória ao segundo colocado de cada prova. Sendo assim, apresentamos o quadro de medalhas atualizado, já com os resultados para o futebol masculino e animação de torcida.

Os alunos correram para ver a lista que o diretor tinha em mãos.

RESULTADOS DA GINCANA

Projeto Ambiental	~~Vitoriosos~~	Estrela Azul
Redação	São João	
Matemática	São João	
Quadrinhos	São João	
Xadrez Feminino	Estrela Azul	
Xadrez Masculino	São João	
Atletismo Feminino	~~Vitoriosos~~	São João
Atletismo Masculino	~~Vitoriosos~~	Riso Feliz
Basquete Feminino	~~Vitoriosos~~	São João
Basquete Masculino	~~Vitoriosos~~	Estrela Azul
Natação Feminina	Estrela Azul	
Natação Masculina	Estrela Azul	
Vôlei Feminino	~~Vitoriosos~~	Estrela Azul
Vôlei Masculino	~~Vitoriosos~~	Estrela Azul
Futebol Feminino	~~Vitoriosos~~	São João
Futebol Masculino	São João	
Animação de Torcida	São João	

Os alunos do São João que estavam mais perto não seguraram a emoção:

— VENCEMOS!!!

A S.U.P.E.R. Gincana

Todos pulavam e se abraçavam. Peteca chorava, emocionada, agarrada ao pai e a suas colegas de time. Princesa também abraçava o pai, que não cansava de lhe pedir desculpas por ter se deixado envolver em toda aquela confusão. Carlos levantou Paçoca no colo, dando-lhe os parabéns pela vitória. Pinguim, Piolho, Pimenta e Pastilha se deram as mãos e ficaram pulando e gritando no meio dos alunos, de tão felizes que estavam. E a alegria não era só deles; os alunos do Estrela Azul comemoravam o segundo lugar e até mesmo os alunos do Riso Feliz celebravam o terceiro lugar, um feito inédito para a escola. O garoto que ganhara no atletismo era carregado pelos colegas como um grande herói.

Só quem não estava nada feliz com aquilo eram os alunos do Vitoriosos. E muito menos seus pais.

— Nós pagamos por essa taça e não aceitamos que ela vá parar em outra escola, Magno. Você nos deu garantias de que isso não iria acontecer!

— Do que eles estão falando, pai? — quis saber Felipe Dante. — Que garantias foram essas?

O diretor do Vitoriosos estava prestes a arrancar os cabelos de tão nervoso. Seus filhos o encaravam com espanto; o pai deles sempre fora sinônimo de sucesso e agora estava ali, todo sujo e perdendo o controle, provando o gosto amargo da derrota.

— Responde, pai, porque o senhor fez tudo isso? — insistiu Caio Dante...

— Porque eu não podia correr riscos! — explodiu o empresário. — Essa taça toda feita em ouro, o sonho da minha vida, custa quase o valor de um prédio inteiro da nossa es-

213

cola, acreditam? Esse grupo de pais de alunos concordou em financiá-la, mas exigiram em troca que saíssemos vitoriosos.

— Mas a nossa escola tinha grandes chances de ganhar sem depender de qualquer tipo de trapaça... A gente venceu em todos os outros anos!

— Acontece que os patrocinadores do prêmio impuseram uma cláusula: em caso de derrota, eu teria que ceder cotas do colégio para eles. Eu perderia a maior parte da escola! Eu não podia me arriscar a perder...

— E o senhor aceitou isso?

— Quem não está disposto a correr riscos para realizar seus sonhos? Filho, essa taça seria o símbolo maior de todas as nossas conquistas, uma homenagem luxuosa a meus alunos e ex-alunos. E, é claro, ao grande legado que deixo; afinal, formei milhares de pessoas que hoje são bem sucedidas e formam a nata desse país! Foi só por isso que tracei meus objetivos e me aproximei das pessoas certas: um fabricante de equipamentos esportivos, um ex-atleta famoso, dois cientistas trabalhando em partes distintas do projeto. O plano era perfeito para garantir nossa vitória! Mas deu tudo errado e agora estou arruinado...

As pessoas ao redor testemunhavam o desespero do diretor do Vitoriosos; chegava a ser constrangedor ver alguém tão cheio de si num estado tão deplorável, chorando feito uma criança.

O diretor Roger encarava aquele homem sentindo pena e repulsa ao mesmo tempo. Foi quando Pastilha pediu para falar em seu ouvido. O homem abaixou e escutou o que sua aluna tinha a dizer. Ele sorriu e foi conversar com as diretoras

A S.U.P.E.R. Gincana

dos outros colégios. Elas se assustaram com o que ouviram, mas, por fim, fizeram que sim com a cabeça. Roger então se voltou para o diretor do Vitoriosos e anunciou sua decisão:

— Muito bem, Magno, pode ficar tranquilo. E digo isso também aos senhores, pais de alunos, que ajudaram a financiar essa belíssima taça toda feita de ouro. Se o problema é ter de abrirem mão desse troféu, comunico que o Colégio São João, mesmo sendo o vencedor dessa edição da Gincana Interescolar, permite que ele fique aqui, em exposição na sua sala de troféus.

Sorrisos brotaram instantaneamente nos rostos do diretor Magno e dos investidores.

— É sério isso, Roger? Você abriria mão da gincana para dar o prêmio ao Vitoriosos? Mesmo depois de tudo o que fiz?

— Eu não disse isso, Magno. O que eu disse é que a taça poderá permanecer aqui, em sua sala de troféus. Mas nela deverá estar escrito o nome do colégio que venceu a gincana desse ano: o Colégio São João. Dessa forma não haverá qualquer prejuízo material para você ou para os pais que, tão lindamente, quiseram homenagear seus filhos. Pois bem, que essa taça dourada fique exposta aqui e que sirva, de hoje em diante, para lembrar aos seus alunos que honra, caráter e dignidade são coisas que não se compram, não importa quanto dinheiro se tenha.

Os pais dos alunos do Vitoriosos emudeceram diante daquelas palavras, que, no fundo, nada tinham de amigáveis. O rosto de Magno Dante foi tomado pelo alívio, mas também, pela vergonha. O empresário olhou para os filhos e se sentiu péssimo ao ver que eles o encaravam com decepção. O homem gaguejou ao lhes pedir perdão e se emocionou quando os gêmeos vieram abraçá-lo. As pessoas ao redor se comoveram com a cena. Até o pequeno Otto Bengel quis aproveitar o momento para procurar seu pai, Hanz:

— Papá, eu também *querrerr* me *desculparr porr terr* falhado! Eu *perrderr* no *xadrrez* e depois meu invento *ficarr* uma *grrande porrcarria* e quase *matarr* toda mundo; eu *fazerr* tudo errada!

— Eu que *deverr* me *desculparr*, filha! Logo eu, um homem do ciência, *sujarr* a nome do nossa família ao me *envolverr* nesse lambança toda. Você *perrdoarr* seu papá?

— *Ja! Clarro* que sim! Só me *prromete* que *nón* vai mais me *deixarr* sem *comerr* meu *chucrrute?* Eu *amarr* a *chucrrute* que o mamá *fazerr!*

— Eu *prrometo* que você vai *poderr comerr* toda *chucrrute* com *salsichón* que *quiserr* quando o gente chegar em casa!

— *Ich liebe dich Papa!* (Eu te amo, papai!)

Todos comemoraram quando pai e filho deram uma abraço carinhoso. O diretor Roger também ganhou abraços de alunos e professores, que vieram comemorar com ele a vitória do colégio São João. Mas o que o surpreendeu mesmo foi ser abordado por um casal cujo filho estudava no Vitoriosos.

— Com licença, o seu nome é Roger, não? Poderíamos falar um instante?

— Sim, claro.

— Bem, é que... Depois de vermos tudo o que aconteceu aqui hoje e de ouvirmos tudo aquilo que o senhor disse... — O homem se mostrava constrangido. — É que, na verdade,

A S.U.P.E.R. Gincana

eu e minha esposa nunca gostamos muito da metodologia de ensino daqui do Vitoriosos. Gostaríamos de conversar com o senhor sobre uma possível transferência do nosso filho para a sua escola no ano que vem.

Roger mostrou-se surpreso, mas sorriu de maneira amistosa.

— Será um prazer! Que tal passarem na escola na segunda? Posso apresentar a vocês toda a nossa infraestrutura. Não é nada comparável ao que existe aqui no Vitoriosos, vocês já devem saber...

— Nós sabemos — disse a mulher. — Mas buscamos uma escola que passe bons valores ao nosso filho. E aqui não é o lugar.

— Sim. Eu costumo até brincar com a minha esposa que o único grande valor que essa escola passa para a gente é o da mensalidade.

— Há! Essa foi boa! — O diretor Roger precisou se esforçar para não cair na gargalhada. — Podem ter certeza de que a filosofia do São João é muito diferente da daqui. Tenho certeza de que seu filho gostará de lá e fará grandes amigos.

Enquanto o diretor conversava com outros pais de alunos, também interessados em saber mais sobre sua escola, Felipe Dante foi procurar Princesa. Pimenta ficou observando a conversa dos dois de longe.

— Oi, Ana Sophia... Eu queria perguntar se a gente ainda tem alguma chance de... Bem, você sabe... de ficar junto?

— Eu? Ficar com você? Pirou, foi? Não quero te ver nem pintado, Felipe. Vaza.

O rapaz engoliu em seco. Então criou coragem e fez outra pergunta:

— Bem, é que... Então, se a gente não vai ficar junto... Que tal me devolver os presentes que eu te dei? Não foram nada baratos e...

Furiosa, Princesa retirou o colar e a pulseira e tentou enfiá-los pela goela do garoto.

— Você é um lixo igual ao seu pai! Toma, engole os seus presentes!

Felipe Dante se desvencilhou da garota e correu para perto do irmão. Enfiou as joias no bolso e gritou para ela:

— Sua doida! Onde já se viu dispensar uma cara que nem eu... É tão burra que nem passou na prova para estudar aqui.

— Burrice foi ter ficado com você! Vê se some!

O rapaz fez que ia continuar a briga, mas se deparou com Fábio Ventura e Pimenta, que foram defender a garota. Foi o pai da jovem quem falou:

— Nem pense em chegar perto da minha filha, moleque, ou eu quebro essa sua carinha perfeita. Vai lá ficar com o seu pai, vai. Vocês se merecem.

Os gêmeos saíram correndo, apavorados. Beto achou graça e deu tapinhas no ombro do pai de Princesa, parabenizando-o. O homem o encarou, sério.

— E você também nem pense em se engraçar com a minha filha, ouviu bem?

Fábio Ventura se afastou e foi abraçar sua princesinha, que lhe cobriu de beijos. Pimenta engoliu em seco; ser ameaçado daquele jeito não fora nada legal. Mas ruim mesmo foi ter que aguentar a gozação dos amigos da Página Pirata, que vieram abraçá-lo para comemorar aquela SUPER vitória.

Capítulo 26
Um Presente Que Se Guarda

Terminada a aula do professor Pedro, a turma desceu correndo para o recreio. Durante o lanche, Pastilha conduziu a reunião de pauta da próxima edição da Página Pirata, que falaria sobre a vitória do São João na gincana. O feito fora comemorado por todos os alunos, principalmente os mais velhos. Para eles, a vitória dos mais novos tinha um significado todo especial: um gostinho saboroso de vingança.

Mesmo sem terem levado a taça para casa, o diretor Roger fizera questão de colocar um quadro na sala de troféus de sua escola. Era uma foto enorme do lindíssimo troféu da gincana, com o nome da escola vencedora gravado no pedestal. Logo abaixo do quadro, um painel informava que a verdadeira taça estava exposta na sala de troféus do Colégio Vitoriosos para quem quisesse ir lá ver e – quem sabe – tirar um bom sarro dos estudantes de lá. Exatamente com essas palavras. Os alunos davam muita risada sempre que passavam por ali e liam aquela mensagem.

Pastilha escolheu a foto que ilustraria sua matéria no jornal e mostrou aos demais. Ela trazia toda a equipe da Página Pirata diante da taça. Era uma foto bastante simbólica para eles, afinal, se a escola havia conquistado aquela importante vitória, era, em boa parte, graças à persistência de cada um deles em trazer a verdade à tona. E, claro, ao talento e à dedicação de todos.

Terminada a reunião, voltaram correndo para a sala de aula, pois teriam História no segundo tempo. Beto reclamou, já que detestava a matéria. Enquanto subiam as escadas, Princesa deixou cair seu caderno e um monte de folhas se espalhou pelos degraus.

— Ai, não acredito!!!

— Deixa que eu te ajudo a recolher — se ofereceu Pimenta, que foi logo catando toda a papelada.

— Não precisa, garoto! Deixa que eu me viro...

Beto a ignorou e continuou recolhendo os papéis. De repente ele parou. Uma das folhas chamou sua atenção. Ele mal podia acreditar no que via.

Era o desenho que ele havia dado de presente de aniversário para Princesa. O retrato da garota feito a lápis.

— Você... Você guardou...

— Me dá isso aqui!

Sem graça, a jovem confiscou todos os papéis e colocou tudo de volta em seu caderno. Virou-se e subiu a escada em ritmo acelerado. Parou num dos degraus e disse, sem se virar:

— Eu... Só devolvo um presente quando não gosto dele. Ou da pessoa que me deu.

Beto sentiu um calor percorrer seu corpo dos pés à cabeça. Sentiu as pernas ficarem bambas e precisou até se apoiar no corrimão da escada para não cair.

— Agora a gente tem que correr — disse a jovem. — Já está na hora da aula.

A S.U.P.E.R. Gincana

Princesa subiu apressada e sumiu.

O rapaz ficou ali, imóvel.

De repente bateu nele uma vontade louca de estudar História. E saiu correndo, quase tropeçando nos degraus.

Edição Extra!
A Verdadeira Vitória
por Pastilha

Queridos leitores, é com muita alegria que informo que o São João foi o grande vencedor da VI Gincana Interescolar de Vale Prateado. Vejam só como são as coisas: os alunos do Vitoriosos estavam tão acostumados a vencer que nem viram o caminhão que os atropelou!

Mas o assunto que quero abordar agora é bem mais sério. Afinal, não é todo dia que a gente se depara com pessoas dispostas a fazer qualquer coisa para conseguir o que querem, mesmo que para isso precisem prejudicar os outros.

A equipe da Página Pirata conseguiu desmascarar o diretor do Vitoriosos e revelar todo o esquema montado por ele para favorecer seus alunos durante o torneio. Mas o que faz alguém ir tão longe para poder levar vantagem sobre os outros?

Para tentar responder a essa pergunta vou contar algo que vi acontecer aqui mesmo, na nossa escola, durante o recreio.

Uma aluna foi comprar seu lanche na cantina. Na hora de receber o troco, percebeu que o atendente havia lhe dado dinheiro a mais. Ela achou graça, mas ficou quieta. Com o lanche nas mãos, foi correndo encontrar com as amigas para contar vantagem por ter ficado com todo o dinheiro, se achando muito esperta. Algumas amigas a apoiaram, outras não. Indignada, resolvi questioná-la: "Você sabia que o moço do caixa vai ter que pagar do bolso dele por esse erro? Você deveria voltar lá e devolver o troco a mais que ele te deu." A garota me ignorou, simplesmente por não achar que errou. E ela não é a única que pensa assim.

Na minha opinião, não tem como alguém levar vantagem sobre outra pessoa sem prejudicá-la. Mas, infelizmente, existem pessoas que parecem não se importar com isso. Penso que são desprovidas de educação e bom caráter.

Aprendi com meus pais que ter bom caráter é tratar os outros como gostamos de ser tratados: com respeito. Pessoas com mau caráter são egoístas e se acham mais importantes do que as outras. Fico triste quando encontro gente assim por aí.

Todos os dias vejo exemplos de falta de respeito e egoísmo. Tem gente que acha cômodo jogar lixo na rua, mas isso deixa a cidade suja. *Baixar* filmes, músicas, livros e jogos da Internet pode parecer divertido, mas é crime e prejudica os criadores dessas obras. Inventar mentiras, parar o carro em local proibido e furar filas são outras atitudes que prejudicam a todos.

Sempre que possível, acho que a gente deve se perguntar: *"Se eu fizer isso, posso estar prejudicando outra pessoa?"* Se a resposta for sim, é o nosso caráter que irá determinar se faremos o que é certo ou o que é errado. E isso não depende de condição social, instrução ou criação. Depende apenas da gente.

Eu realmente espero que, a cada dia, mais pessoas comecem a pensar assim. Desse jeito, nós, jovens, vamos conseguir mostrar aos adultos que não existe futuro sem bom caráter e educação. E que para conseguirmos o que queremos não é necessário prejudicar os outros. É num mundo assim que eu quero viver e tenho feito a minha parte para mudá-lo. Espero que você, leitor, também faça a sua.

Para encerrar, gostaria de dizer apenas que eu tenho muito orgulho da nossa escola. Ganhamos essa gincana da melhor maneira possível: honestamente e por nossos próprios méritos, sem prejudicar ninguém.

Uma vitória de verdade.

Que ela sirva de exemplo!

Até a próxima!

Pastilha
Editora-chefe da Página Pirata

Venha ver essa turma combater o *bullying* de um jeito divertido em "A Máquina Antibullying", o primeiro volume da Coleção Turma da Página Pirata.

Saiba mais em:
www.paginapirata.com.br

A turma da Página Pirata também está em **Palladinum** vivendo a maior aventura de suas vidas no mundo dos Sonhos e Pesadelos.

Saiba mais em:
www.palladinum.com.br

A diversão continua na Internet:
www.paginapirata.com.br
www.palladinum.com.br

E no Facebook:
www.facebook.com/PaginaPirata
www.facebook.com/Palladinum

Siga o autor Marcelo Amaral:
www.twitter.com/marcelgom
www.facebook.com/marcelgom